Simone Tibert

Le français
avec... des jeux
et des activités

PIERRE
BORDAS
ET FILS

© 2004 - ELI s.r.l.
B.P. 6 - Recanati - Italie
Tél. +39 071 750701 - Télécopie +39 071 977851
www.elionline.com
e-mail: info@elionline.com

Adapté de *L'italiano con giochi e attività*
de Federica Colombo

Illustrations : Roberto Battestini
Conception graphique : Studio Cornell sas
Version française : Simone Tibert

Imprimé en Italie – Tecnostampa Recanati – 06.83.174.0

ISBN - 978-88-536-0003-5

Introduction

Le français avec des jeux et des activités est une publication en trois volumes qui s'adresse à des élèves de FLE de tranches d'âge différentes.

Structuré sur trois niveaux de difficulté (élémentaire, pré-intermédiaire, intermédiaire), l'ouvrage favorise une maîtrise graduelle du lexique et des structures de base. Chaque volume propose **14 sujets** relatifs à des champs lexicaux d'emploi quotidien. Ce volume de **niveau intermédiaire** propose des thèmes lexicaux nouveaux ainsi que quelques thèmes déjà affrontés dans les niveaux élémentaire et pré-intermédiaire, dont il constitue l'approfondissement, dans un critère d'apprentissage en spirale.

Chaque unité s'ouvre sur une page consacrée aux **mots illustrés** relatifs au thème abordé. Ces mots sont ensuite réemployés au cours des **cinq pages d'activités** qui suivent : mots croisés, jeux de mots, devinettes, anagrammes, etc. Dans chaque unité on trouve un moment de **révision** ou d'**approfondissement grammatical** intégrant le lexique présenté.

Les **solutions** des jeux et des activités, en appendice, permettent également une utilisation autonome.

Le corps humain II

le front

le menton

la joue

les sourcils

les cils

la barbe

la moustache

les lèvres

la langue

le poignet

le coude

l'aisselle

la poitrine

le nombril

la cuisse

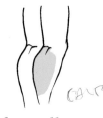
le mollet

la cheville

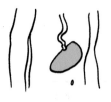
l'estomac

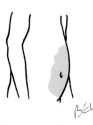
le ventre

les reins

1 Observe le dessin et complète.

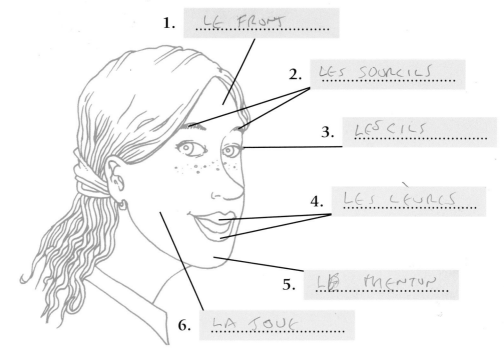

1. LE FRONT

2. LES SOURCILS

3. LES CILS

4. LES LÈVRES

5. LB MENTON

6. LA JOUE

2 Mots croisés illustrés.

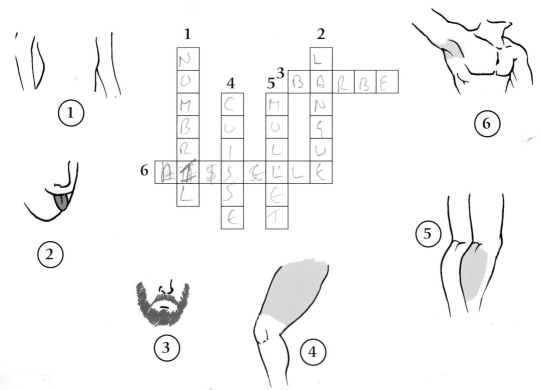

1.
N
O
M
B
R
L

4.
C
O
I
S
S
E

5.
M
O
L
L
E
T

3 2.
L
B A R B E
N
G
U
E

6. B A S S E L L E

3 Observe les dessins et complète les phrases.

1. Caroline a des ....LÈVRES................ fines.

2. Véronique a des ....CILS................ très longs.

3. Michèle a les ....JOUES................ toutes rouges.

4. Jean a mal aux ....MOLLETS................ .

5. Claudine s'est tordue une ....CHEVILLE................ et elle se fait des massages.

grammaire

Maman : Les enfants, est-ce que vous êtes prêts ?
Annie : Maman, je **me suis lavée**, mais je ne suis pas encore prête.
Coralie : Je **me suis brossé les dents**, je vais être prête dans une seconde.

*L'auxiliaire des **verbes réfléchis** est être. Aux temps composés le participe passé de ces verbes s'accorde avec le sujet du verbe quand le complément d'objet direct est représenté par le pronom personnel même : J'ai lavé, qui ? moi-même (me).*
J'ai brossé, quoi ? les dents. (on ne fait pas l'accord!)

*Parmi les verbes réfléchis il y a des verbes appelés **verbes réciproques**, souvent accompagnés des expressions : l'un l'autre, les uns les autres, réciproquement. Les plus communs sont : s'entraider, s'embrasser, se soutenir. Aux temps composés, leur participe passé ne s'accorde pas.*
En se rencontrant, elles **se sont embrassé**.

4 Complète les phrases suivantes en faisant l'accord du participe, si nécessaire.

1. En se reconnaissant, ils se sont souri...... l'un l'autre.
2. Sophie et Monique se sont blessé...... .
3. À la suite de l'accident, ils se sont blessé...... aux jambes et aux bras.
4. Pendant un bon moment ils se sont téléphoné....... tous les jours.
5. À leur retour de voyage, ils se sont rasé....... une longue barbe.
6. Ce sont de vrais amis, ils se sont toujours soutenu....... dans les moments difficiles.
7. Ils se sont peigné....... .
8. Pendant son séjour à l'étranger, Juliette et sa sœur se sont écrit....... de longues lettres.
9. Les filles se sont coupé....... les cheveux très courts.
10. Nadine s'est coupé........ avec un couteau.

5 Devinettes. Qu'est-ce que c'est ?

C'est ...

1. entre le genou et le pied :
   ....
2. la partie inférieure du visage qui se trouve sous la bouche :
   ....
3. la partie de la tête entre les sourcils et les cheveux :
   .... CHEVX ....
4. entre les pommettes et le menton :
   ....
5. le duvet qui pousse au dessus des lèvres de l'homme :
   ....
6. le duvet qui pousse sur les joues et sur le menton de l'homme : ....
7. entre le coude et la main :
   ....
8. la partie supérieure de la jambe :
   ....
9. la partie postérieure de la jambe au dessous du genou :
   ....
10. l'articulation qui permet de plier le bras :
    ....

6   Observe les dessins et relie les expressions suivantes à leur signification.

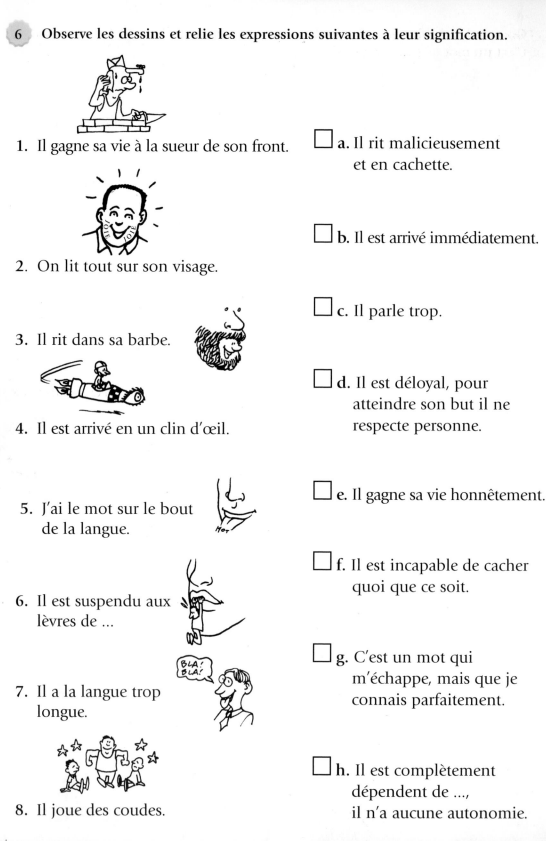

1. Il gagne sa vie à la sueur de son front.

2. On lit tout sur son visage.

3. Il rit dans sa barbe.

4. Il est arrivé en un clin d'œil.

5. J'ai le mot sur le bout de la langue.

6. Il est suspendu aux lèvres de ...

7. Il a la langue trop longue.

8. Il joue des coudes.

☐ **a.** Il rit malicieusement et en cachette.

☐ **b.** Il est arrivé immédiatement.

☐ **c.** Il parle trop.

☐ **d.** Il est déloyal, pour atteindre son but il ne respecte personne.

☐ **e.** Il gagne sa vie honnêtement.

☐ **f.** Il est incapable de cacher quoi que ce soit.

☐ **g.** C'est un mot qui m'échappe, mais que je connais parfaitement.

☐ **h.** Il est complètement dépendent de ..., il n'a aucune autonomie.

7 Observe les dessins et lis les mots nouveaux, écris ensuite le mot manquant. C'est un mot que tu connais déjà.

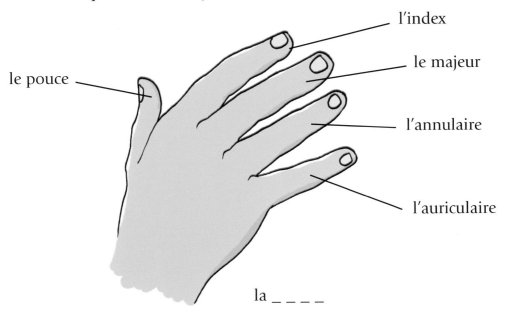

l'index

le majeur

le pouce

l'annulaire

l'auriculaire

la _ _ _ _

8 Retrouve dans la grille dix-sept mots de l'unité, avec les lettres restantes tu peux compléter la phrase ci-dessous.

I	L	E	V	R	E	S	M	O	L	L	E	T
B	V	S	P	E	N	R	E	D	U	O	C	T
A	F	O	O	M	O	U	S	T	A	C	H	E
R	R	U	I	E	M	S	E	J	O	U	E	N
B	O	R	T	N	B	S	P	A	R	I	V	G
E	N	C	R	T	R	T	C	I	L	S	I	I
I	T	I	I	O	I	E	S	D	U	S	L	O
C	O	L	N	N	L	A	N	G	U	E	L	P
R	P	S	E	A	I	S	S	E	L	L	E	S

Il s'agit de d_ _ _ _ _ _ _   _ _ _ _ _ _ _   _ _   _ _ _ _ _

Et toi, sais-tu décrire ton visage ?

Le service secours

la fièvre

la toux

le rhume

la brûlure

le mal de gorge

le mal de ventre

le mal de tête

le mal de dents

l'ambulance

la blessure

le sparadrap

le plâtre

la bande

l'infirmière

l'hôpital

le médecin

la pharmacie

les médicaments

le sang

la seringue

le sirop

le comprimé

le thermomètre

1 Relie chaque dessin aux mots de la liste ci-dessous.

1. ☐ la grippe/la température   a.

b.

2. ☐ la toux

3. ☐ le rhume

c.

d.

4. ☐ la brûlure

5. ☐ le mal de gorge

e.

6. ☐ le mal de ventre   f.

7. ☐ le mal de tête

8. ☐ le mal de dents   g.

h.

2 Mots croisés illustrés.

grammaire

Il a **souvent** mal à la tête.
Il n'attrape **jamais** de rhume.
Elle a **rarement** mal aux dents.
Parfois j'appelle le médecin.

*Ces **adverbes de temps** indiquent la **fréquence** à laquelle se répètent/se succèdent des actions. En général ils se trouvent en début de phrase ou bien après le verbe.*
*Les adverbes **jamais, plus** sont utilisés dans des phrases négatives : ils sont donc précédés de **ne** et ils se trouvent à la place de pas qu'ils remplacent.*

3 Complète les phrases suivantes avec les mots qui manquent et les adverbes ci-dessous.

parfois – plus – plus – plus – souvent – souvent – jamais – jamais

1. Heureusement mon mari n'a .... de _ _ _ _ .

2. Je n'ai .... été à l' _ _ _ _ _ _ _ !

3. Françoise a changé de boulot : elle ne travaille .... à la _ _ _ _ _ _ _ _ _ .

4. Cet hiver Antoine a .... attrapé un _ _ _ _ _.

5. Philippe saigne-t-il encore du doigt ? Non, il ne perd .... de _ _ _ _ .

6. Martine as-tu encore _ _ _ _ _ _ _ _ _ _ _ ? Oui, ça m'arrive .... quand je mange trop rapidement.

7. .... ma mère se fait des _ _ _ _ _ _ _ _ en cuisinant.

8. Maman ne prend .... de _ _ _ _ _ _ _ _ _ _ _ .

4 Réponds aux questions suivantes en suivant les indications données.

Es-tu jamais monté dans l'ambulance ? Non, je n'y suis jamais monté.

1. Patricia, a-t-elle mal à la tête ?
   (jamais)
   Non, ...
2. Est-ce que le médecin est arrivé ?
   (jamais - à l'heure)
   Non, ...
3. As-tu acheté les médicaments à la pharmacie ?
   (ne - que - du sirop)
   Non, ...
4. Nadine, a-t-elle encore de la température ?
   (plus)
   Non, ...
5. N'as-tu jamais donné de sang ?
   (parfois)
   Si, ...
6. Et toi, est-ce que tu prends du sirop quand tu tousses comme ça ?
   (rarement)
   Non, ...
7. N'as-tu jamais eu de brûlures sur les épaules ?
   (jamais)
   Non, ...

5 Retrouve dans la grille huit mots de l'unité, avec les lettres restantes tu peux compléter la phrase ci-dessous.

R	P	E	T	E	T	E	D	L	A	M	L
H	X	U	O	T	E	F	I	E	V	R	E
U	E	R	T	N	E	V	E	D	L	A	M
M	A	L	D	E	G	O	R	G	E	I	N
E	E	F	B	R	U	L	U	R	E	O	R
M	M	A	L	D	E	D	E	N	T	S	E

Celui qui n'a mal nulle part est en _ _ _ _ _ _ _ _ _ _ _ .

6 Observe les dessins et complète les phrases ci-dessous.

1. Georges va chez le dentiste :
   il a un ....

4. Barbara est
   ....

2. Mets un ....
   sur ta blessure.

5. Si j'étais à ta place,
   j'irais chez le
   ....

3. On a dû appeler
   l'........................
   d'urgence.

6. Ce matin on a fait
   une prise de
   ....
   à M Rocher.

7 Devinettes. N'oublie pas de mettre aussi l'article défini ou l'article partitif.

1. Quand elle est trop élevée, c'est dangereux.
   ....

2. C'est le moyen de transport que l'on appelle en cas d'urgence.
   ....

3. Ça peut être la conséquence d'un accident.
   ....

4. On le met sur une petite blessure.
   ....

5. On en perd quand on se coupe un doigt.
   ....

6. Il faut les prendre quand on est malade.
   ....

8 Mots croisés illustrés.

As-tu déjà été hospitalisé/e ?
Si oui, raconte.

La mesure et la quantité

le gramme

l'hectogramme

le kilo

le litre

la canette

la boîte de conserve

la bouteille

le pot

le sachet (de thé)

le paquet

le tube

la tablette

la tranche

le centimètre

le mètre

le kilomètre

1 Ça correspond à quoi ?

1. Cent grammes correspondent à : un .... EEOAMMGTRHC

2. Dix hectogrammes correspondent à : un .... OILK

3. Cent centimètres correspondent à : un .... EEMTR

4. Mille mètres correspondent à : un .... EEIOMKRTL

2 Observe les dessins et relie les mots de la colonne de gauche aux mots de la colonne de droite.

1. une boîte de   **a.** thon

2. une canette d'   **b.** mayonnaise

3. une bouteille de   **c.** pommes de terre

4. un tube de   **d.** orangeade

5. un kilo de   **e.** vin

La mesure et la quantité

grammaire

Ce fleuve **est long de** 455 kilomètres.
Cet immeuble **a une hauteur de** 35 mètres.
Cet lac **a 100 kilomètres de large**.

Pour indiquer la hauteur, la longueur et la largeur des objets et des choses on peut utiliser les expressions suivantes :

	être…	avoir…	avoir + *mesure* …
hauteur :	haut de…	une hauteur de…	de haut
longueur :	long de…	une longueur de…	de long
largeur :	large de…	une largeur de…	de large

3   **Connais-tu la France ? Complète les phrases suivantes et coche la bonne case.**

1. La Seine a .... de   **a.** ☐ 550 km   **b.** ☐ 776 km   **c.** ☐ 1000 l

2. La Dune du Pilat est .... de   **a.** ☐ 110 m   **b.** ☐ 50 m   **c.** ☐ 10 m

3. La Tour Eiffel est .... de   **a.** ☐ 400 m   **b.** ☐ 150 m   **c.** ☐ 320 m

4. L'Arc de Triomphe a .... de   **a.** ☐ 45 m   **b.** ☐ 30 m   **c.** ☐ 60 m

5. Le Centre Pompidou mesure   **a.** ☐ 200 m   **b.** ☐ 166 m   **c.** ☐ 100 m
   de ....

grammaire

J'ai **plus d'**audiocassettes **que de** CD.
J'ai **moins de** CD **que d'**audiocassettes.
J'ai **autant de** DVD **que de** vidéocassettes.

Le comparatif de quantité se forme :

+ :	plus de	
– :	moins de	} *substantif* que de *substantif*
= :	autant de	

4 Dans le placard et dans le réfrigérateur de Mme Dupont. Observe les dessins ci-dessous et construis des phrases avec le comparatif de quantité comme dans l'exemple.

orangeade   coca

Il y a autant de canettes d'orangeade que de bouteilles de coca.

mayonnaise   confiture

1. ....

eau   vin

2. ....

chocolat   thé

3. ....

biscuits   sucre

4. ....

5 Es-tu fort en maths ? Vérifie-le en complétant les phrases suivantes.

1. Un quart de mètre correspond à .... cm.
2. Un cinquième d'hectogramme correspond à .... g.
3. Deux cinquièmes d'un kilomètre correspondent à .... m.
4. Sept dixièmes de kilo correspondent à .... g.
5. Cinq dixièmes de kilo correspondent à .... hg.

6 Mots croisés illustrés. Les lettres des cases grises te permettent de compléter la phrase ci-dessous.

Les Français consomment de plus en plus d'aliments

_ _   _ _ _ _ _ _ _ _ _ .

7 Et toi, qu'est-ce que tu dirais ?

......une tranche de.... gâteau

1. .... coca cola.

2. .... moutarde.

3. .... de levure.

4. .... de confiture.

5. .... de frites.

6. .... de chocolat.

7. .... de tissu.

8. .... de colle.

canette

sachet

tablette

pot

pot

pot

sachet

pot

mètre

tranche

8 Devinettes. Qu'est-ce que c'est ?

1. Ça contient des liquides, normalement c'est en verre ou en plastique.

   ....

2. En général, elle est en métal, elle est petite.

   ....

3. C'est en papier très léger, ça contient du thé, de la camomille ou de la tisane.

   ....

4. D'habitude il est en carton et il contient des choses solides.

   ....

5. Ça peut être en verre, c'est assez petit.

   ....

9 Associe chaque phrase au dessin puis complète-la.

1. ☐ De Milan à Rome il y a environ 600
   .... de route.

2. ☐ Mon jardin est long de 8
   ....

3. ☐ Cette lettre ne pèse que 10
   ....

4. ☐ Cette nuit il y a eu une chute
   de neige de 5 ....

5. ☐ Marc pèse 90 ....

a.

b.

c.

d. Paris Rome 600

e.

10 Retrouve dans la grille les mots de l'unité, avec les lettres restantes complète la phrase ci-dessous.

T	A	B	L	E	T	T	E	T	M	A	E
R	S	A	C	H	E	T	E	B	E	P	L
A	G	R	A	M	M	E	B	L	T	O	L
N	T	E	U	Q	A	P	U	E	R	T	I
C	E	N	T	I	M	E	T	R	E	T	E
H	E	C	T	O	G	R	A	M	M	E	T
E	T	K	I	L	O	M	E	T	R	E	U
E	L	I	T	R	E	E	T	I	O	B	O
K	I	L	O	E	T	T	E	N	A	C	B

Au goûter, les enfants ont mangé une _ _ _ _ _ _ _ _ de chocolat
au lait avec un morceau de pain.

Et dans ton pays quelles sont les
unités de mesure et de poids ?

Plantes et fleurs

la rose

la marguerite

la tulipe

la violette

le tournesol

l'orchidée

le narcisse

l'iris

le muguet

le cyclamen

le lys

le jasmin

l'œillet

l'olivier

le bouleau

le pin parasol

le châtaigner

le chêne

le cyprès

le saule pleureur

1 Mots croisés illustrés.

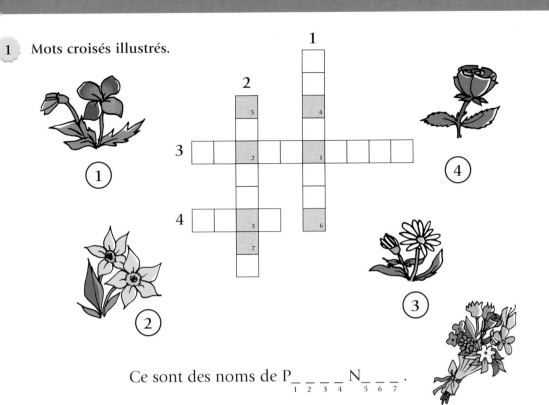

Ce sont des noms de P _ _ _ _ N _ _ _ .
               1 2 3 4   5 6 7

2 Mots croisés illustrés. Lis les cases grises et complète la phrase ci-dessous.

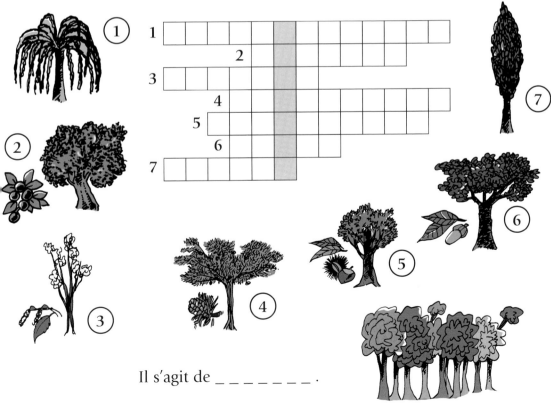

Il s'agit de _ _ _ _ _ _ _ _ .

grammaire

Il **m'**a offert un bouquet de fleurs.
Papa **lui** a envoyé des roses rouges.

Les pronoms personnels Complément d'Objet Indirect (COI) *sont :*

Ière p. sing.	me	Ière p. plur.	nous
IIème p. sing.	te	IIème p. plur.	vous
IIIème p. sing.	lui	IIIème p. plur.	leur

Les pronoms personnels à la IIIème personne du singulier (lui) *et du pluriel*
(leur) *sont utilisés aussi bien pour le féminin que pour le masculin :*
Daniel a envoyé des roses **à sa copine**. Il **lui** a envoyé des roses bleues.
Sophie a offert une orchidée **à Paul**. Elle **lui** a offert une orchidée pour
son anniversaire parce qu'il les adore.

3 **Observe les dessins et complète les phrases suivantes.**

1. Paul .... offre un bouquet de _ _ _ _ _ .

2. Marc est allé chez ses grand-parents et il ....
a offert des _ _ _ _ _ _ _ _ _ .

3. François et Nadine vont .... offrir
un brin de _ _ _ _ _ _ .

4. Mon fils .... a offert un bouquet
de _ _ _ _ _ _ _ _ _.

5. Je vais .... offrir un _ _ _ _ _ _ _ _ _ .

24

4 Recompose les phrases suivantes. N'oublie pas de mettre les majuscules et les points.

1. c'est – je – lui – la fête – vais – offrir – de marguerites – des Mères un bouquet
   ....

2. de fleurs – ne m' – mon mari – a jamais offert
   ....

3. vous – je – madame – ai apporté – des narcisses
   ....

4. ont apporté – nos amis – nous – une plante de cyclamens
   ....

5. à la campagne – nous – avons montré – avec Sarah et Philippe nous sommes allés – et – un champ de tournesols – leur
   ....

6. dans le jardin – Frédéric – et lui – a joué – un petit bouquet de marguerites – avec Anne – a offert
   ....

7. il – semble – ce chêne – te – très vieux – regarde – ?
   ....

8. vous – pour votre terrasse – un pot de cyclamens – je vais – donner
   ....

5 Les reconnais-tu ? Aide-toi des dessins.

1. Ses feuilles sont des aiguilles.
   ☐ ....

2. On le trouve souvent le long des cimetières.
   ☐ ....

3. En automne il donne des fruits comestibles.
   ☐ ....

4. Avant d'être transformé, c'était une jeune fille qui pleurait.
   ☐ ....

5. Ses fruits sont des glands.
   ☐ ....

a.

b.

c.

d.

e.

6 Mots croisés avec définition.

1. C'est une fleur très parfumée, symbole du printemps.
2. Il regarde toujours le soleil !
3. Ça se dit de quelqu'un de… très vaniteux !
4. En Hollande il y en a beaucoup.
5. Avec ses pétales on dit : « Il m'aime un peu, beaucoup, passionnément, à la folie, pas du tout !»
6. Elle peut être rouge, rose, jaune, orange, blanche et même bleue…

7 Mots croisés culturels.

1. Cette fleur a été peinte par Van Gogh.
2. Le Petit Prince la rencontre et il en tombe amoureux.
3. Dans la cour de Narcisse et Goldmund il y en avait un très vieux et très grand.
4. Dans le roman de Dumas elle est noire.
5. Dans le roman de Balzac ils sont ... dans la vallée.
6. Dans le poème d'Alfred De Vigny ils sont sur le mont des…

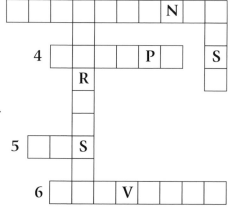

8 Qu'est-ce qu'il y a dans ce jardin ? Écris le nom des plantes et des fleurs que tu reconnais.

....

....

....

9 Retrouve dans la grille les mots de l'unité, avec les lettres restantes lis le titre d'un célèbre poème de Pierre Ronsard.

```
M  I  M  U  G  U  E  T  G  N  O  N  N
I  N  A  R  C  I  S  S  E  E  S  Y  L
R  A  R  L  O  R  C  H  I  D  E  E  L
I  O  G  N  S  V  I  O  L  E  T  T  E
S  A  U  L  E  P  L  E  U  R  E  U  R
E  V  E  C  Y  C  L  A  M  E  N  L  O
R  I  R  O  S  E  R  J  A  S  M  I  N
P  P  I  N  P  A  R  A  S  O  L  P  S
Y  R  T  O  U  R  N  E  S  O  L  E  O
C  S  E  C  H  A  T  A  I  G  N  E  R
T  E  L  L  I  E  O  L  I  V  I  E  R
C  H  E  N  E  E  U  A  E  L  U  O  B
```

_ _ _ _ _ _ _ _ _ _ _ _ _

_ _ _ _ _ I LA _ _ _ _ ...

Et toi quelles fleurs
offrirais-tu à une copine ?

La voiture

le moteur

la portière

la vitre

le siège

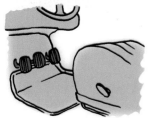
les pédales

le volant

le klaxon

le levier de vitesse

le rétroviseur

la ceinture
(de sécurité)

le pare-brise

l'essuie glace

les phares et les
feux de position

le clignotant

la roue/
le pneu

le garde-boue

le coffre

le capot

324TFN 79

la plaque
(d'immatriculation)
(avant/arrière)

le pare-choc
(avant/arrière)

1   Relie les verbes de la colonne de gauche aux objets de la colonne de droite.

1. fermer
2. baisser
3. allumer
4. sonner
5. appuyer sur
6. attacher
7. tourner

a. le volant
b. les phares
c. la ceinture
d. la vitre
e. la portière
f. le klaxon
g. l'accélérateur

2   Mots croisés illustrés.

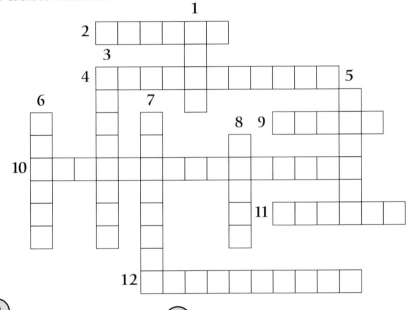

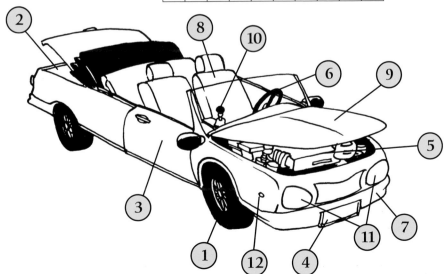

grammaire

1. Nadine **a baissé** la vitre.

            ↑

        COD

2. Elle **l'a baissée** parce qu'elle a chaud.

  ↑

COD

Le participe passé précédé de l'auxiliaire avoir s'accorde avec le COD quand ce dernier le précède (2ème phrase).
Si le COD suit le verbe, le participe passé ne s'accorde pas (1ère phrase).

3   **Complète les phrases suivantes en faisant l'accord du participe, si nécessaire.**

1. Corinne a ouvert........ le ....

   Elle l'a ouvert...... pour y mettre les bagages.

2. Paul a attaché....... la ....

   Il l'a attaché........ pour voyager en sécurité.

3. Nadine a actionné........ l' ....

   Elle l'a actionné....... parce qu'il pleut.

4. André a sonné........ le ....

   Il l'a sonné .... parce qu'il y avait du monde au milieu de la rue.

5. Stéphane a changé........ les ....

   Il les a changé....... parce qu'il neige.

4   **Retrouve dans la grille dix mots de l'unité, avec les lettres restantes complète la phrase ci-dessous.**

A M O T E U R C P O R T I E R E C S I E G E
E L E R A C O F F R E T P E D A L E S E U R
E M B E S S U I E G L A C E R C A P O T A Y
A G E F R C E I N T U R E E K L A X O N I N

Les pédales sont : l'_ _ _ _ _ _ _ _ _ _ _ _ ,
l'_ _ _ _ _ _ _ _ et le _ _ _ _ _.

5 Pourquoi Sarah doit-elle aller chez le mécanicien ?

1. Elle doit faire changer

....

2. Elle doit faire contrôler

....

3. Elle doit faire remplacer

....

4. Elle doit faire réparer

....

5. Elle doit faire remettre en place

....

6 À l'école de conduite. Tu vas être reçu ou recalé ?

1. Ça sert à embrayer :
   - ☐ **a.** le levier de vitesse
   - ☐ **b.** le frein

2. Ça sert à signaler où on veut tourner :
   - ☐ **a.** le klaxon
   - ☐ **b.** le clignotant

3. Ça sert à voyager en sécurité :
   - ☐ **a.** la ceinture
   - ☐ **b.** la portière

4. Ça sert à bien voir en cas de pluie :
   - ☐ **a.** le pare-choc
   - ☐ **b.** l'essuie glace

5. Ça sert à identifier la voiture :
   - ☐ **a.** la plaque d'immatriculation
   - ☐ **b.** le modèle

6. Ça sert à maintenir la direction
   de la voiture :
   - ☐ **a.** le volant
   - ☐ **b.** la roue

École de conduite

La voiture

31

7 Observe les dessins et complète les phrases suivantes.

1. Peux-tu fermer la ...., s'il te plaît ?

2. J'ai crevé. Il faut que je change la ....

3. Ce grand sac, on va le mettre sur le siège arrière, dans le .... il n'y a plus de place.

4. Excuse-moi, je peux reculer un peu mon .... ?

5. Oh là, là, j'ai l'impression que le .... est en panne.

8 Anagrammes. Qu'est-ce que c'est ? N'oublie pas de mettre aussi les articles.

1. On la change quand elle est crevée.

   UEOR   ....

2. Il y en a trois : le frein, l'accélérateur et l'embrayage.

   EEASPLD   ....

3. On l'utilise quand il pleut.

   EEEUAISSCLG   ....

4. On l'allume quand on doit tourner à gauche ou à droite.

   IOANNTGLTC   ....

9 Mots croisés illustrés.

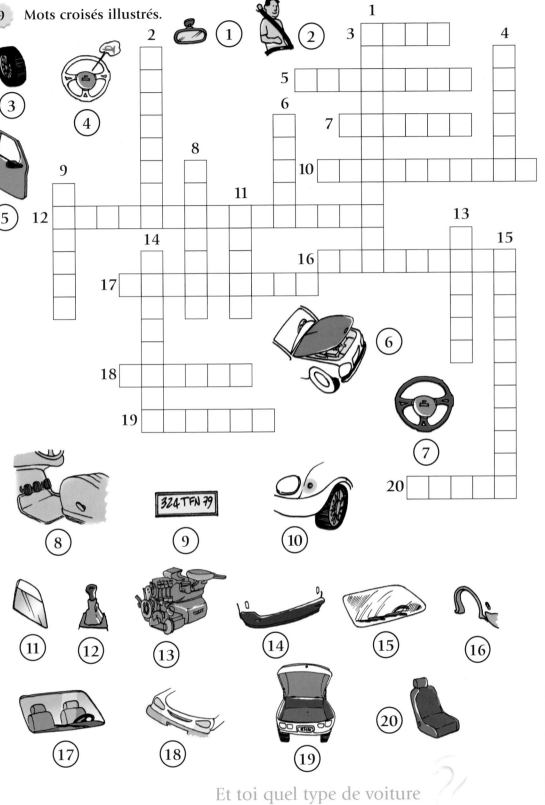

Et toi quel type de voiture
aimerais-tu conduire ? Pourquoi ?

La technologie

la caméra

l'appareil photo

l'ordinateur

l'imprimante

le scanneur

le (logiciel) portable

la photocopieuse

le téléfax

la calculette/ la calculatrice

la radio

le baladeur

le lecteur de CD

la chaîne stéréo

l'autoradio

le téléphone

le portable

le répondeur téléphonique

l'antenne paraboliqu

1 Classe les mots suivants dans les catégories ci-dessous.

la radio – la chaîne stéréo – le lecteur de CD – le baladeur – l'autoradio
la télécopie – le portable – le téléphone – la caméra – la calculette

écouter de la musique	communiquer	autre chose
....	....	....
....	....	....
....	....	....
....	....	....
....	....	....

2 Sais-tu utiliser l'ordinateur ? Sous le dessin, tu trouves des mots nouveaux qui en désignent les différentes parties. Écris-les au bon endroit.

a.   b.   c.   d.   e.

1. l'écran

2. la caisse

3. la souris

4. l'unité centrale

5. le clavier

grammaire

Il **habitait** dans la banlieue parisienne.
J'**avais** l'habitude d'appeler maman tous les jours.

L'imparfait se forme à partir de la 1ère personne du pluriel du présent indicatif à laquelle on enlève la désinence -ons. À la racine ainsi obtenue il faut ajouter les désinences suivantes :

	parler	finir	prendre
1ère p. sing. -ais	Je parlais	Je finissais	Je prenais
2ème p. sing. -ais	Tu parlais	Tu finissais	Tu prenais
3ème p. sing. -ait	Il/elle/on parlait	Il/elle/on finissait	Il/elle/on prenait
1ère p. plur. -ions	Nous parlions	Nous finissions	Nous prenions
2ème p. plur. -iez	Vous parliez	Vous finissiez	Vous preniez
3ème p. plur. -aient	Ils/elles parlaient	Ils/elles finissaient	Ils/elles prenaient

On utilise l'imparfait pour décrire une action du passé sans en préciser ni le début ni la fin. Il indique la durée dans le passé.

3 « Maintenant » et « avant ». Observe les dessins et complète les phrases ci-dessous en conjuguant les verbes entre parenthèses à l'imparfait.

1. Pour téléphoner de l'extérieur avant on .... (utiliser) les cabines

   téléphoniques, maintenant on utilise le ....

2. Il y a vingt ans je .... (taper) à la machine à écrire,

   maintenant j'écris sur l' ....

3. Avant on n' .... (envoyer) des lettres que par la poste,

   maintenant il y a aussi le ....

4. Avant on .... (utiliser) la machine à polycopier, depuis

   quelques années on utilise la ....

5. Il y a quelques années on .... (écouter) de la musique

   avec un .... , aujourd'hui la plupart des

   personnes ont un ....

4 Observe les dessins et complète les phrases ci-dessous.

1. Avant, peu de voitures étaient équipées d'un .... ,
maintenant elles en ont toutes un.

2. Il y a quelques années j'emportais mon .... ,
maintenant je sors avec mon ....

3. Dans le passé on envoyait des lettres par la poste, maintenant on envoie
des messages par la poste électronique avec l' ....

4. J'avais un bel .... , il y a un mois j'ai acheté une
caméra digitale.

5 Mots croisés avec définition.

On s'en sert pour :

1. écouter des cassettes
audio en se promenant
2. faire des calculs

3. écouter des CD
4. voir beaucoup de chaînes de télé
5. savoir qui nous a appelés
6. écouter de la musique
en conduisant

6 Relie les verbes de la colonne de gauche aux mots de la colonne de droite.

1. filmer
2. prendre des photos
3. imprimer
4. acquérir les images
   sur ordinateur
5. photocopier
6. envoyer
7. téléphoner

a. téléfax
b. scanneur
c. photocopieuse
d. portable
e. caméra
f. imprimante
g. appareil photo

7 Complète les phrases suivantes en utilisant les verbes de l'activité précédente.
Conjugue-les à l'imparfait.

1. Avec ma caméra je .... tout ce que je voyais.

2. Avec l'imprimante elle .... tout ce qu'elle écrivait.

3. Avec le téléfax nous .... tout ce que nous voulions.

4. Avec ton appareil photo tu .... tout ce que tu aimais.

5. Avec le scanneur ils .... toutes les images qu'ils avaient.

6. Avec le portable il .... d'où il voulait.

7. Avec la photocopieuse vous .... tout ce que vous imprimiez.

8 Où les utilises-tu ? Insère les objets de l'unité dans les cases ci-dessous.

| à la maison/au bureau .... |
| .... |
| .... |
| .... |
| dans la voiture .... |
| partout .... |
| .... |
| .... |

9 Mots croisés illustrés.

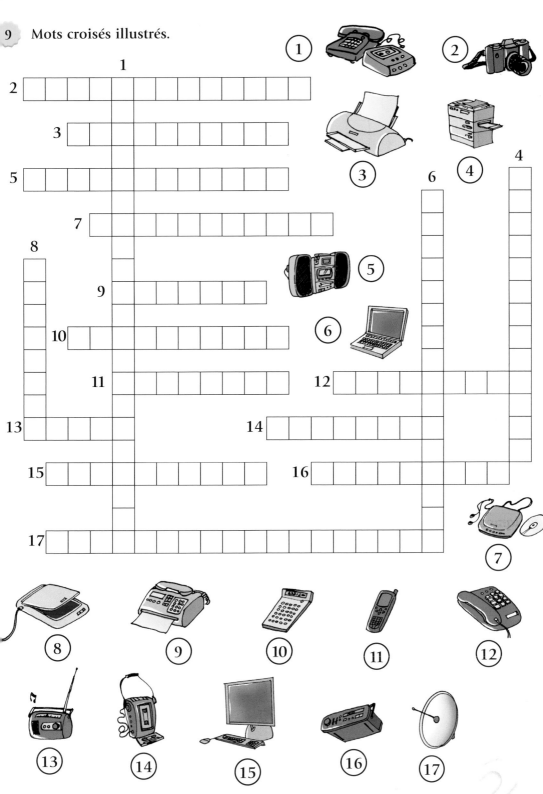

Et toi, quels outils utilises-tu le plus souvent ?
Es-tu passionné des nouvelles technologies ?

L'hôtel

la demi-pension

la pension (complète)

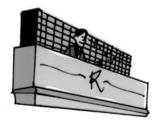
la réception

le hall

le réceptionniste

la clé

la chambre à un lit

la chambre avec un grand lit

la chambre à deux lits

le mini bar

la climatisation

le bar

la piscine

le parking

la salle de restaurant

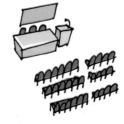
la salle des congrès

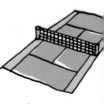
le court de tennis

1 Observe le dessin et écris les mots correspondant aux objets indiqués.

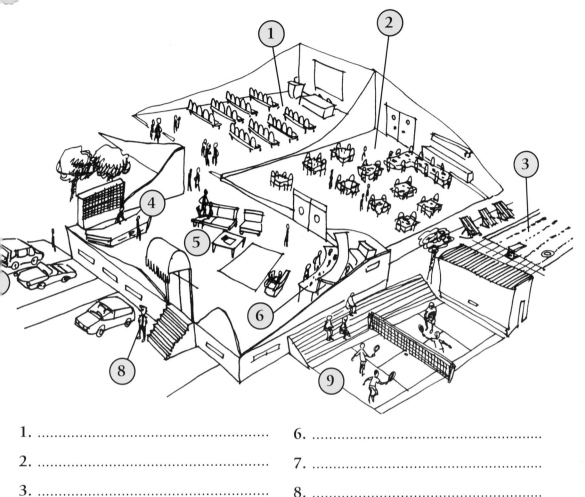

1. ....
2. ....
3. ....
4. ....
5. ....

6. ....
7. ....
8. ....
9. ....

2 Qu'est-ce qu'il leur faut ?

1. M. Dupont fait un voyage d'affaires et il a réservé une chambre

   ....

2. Juliette et Sandrine passent le week-end à Nice et elles ont réservé

   une chambre ....

3. M. et Mme Duhamel passent leurs vacances à la mer et ils ont réservé

   une chambre ....

L'hôtel

41

grammaire

Je **voudrais** réserver une table pour cinq personnes.

Le conditionnel présent des verbes du 1ᵉʳ et du 2ᵉᵐᵉ groupe se forme à partir de l'infinitif auquel il faut ajouter les désinences de l'imparfait. Les verbes en -re le forment de l'infinitif auquel on a enlevé le -e.

	parler	**finir**	**prendre**
1ʳᵉ p. sing. -ais	Je parlerais	Je finirais	Je rendrais
2ᵉᵐᵉ p. sing. -ais	Tu parlerais	Tu finirais	Tu rendrais
3ᵉᵐᵉ p. sing. -ait	Il-elle-on parlerait	Il-elle-on finirait	Il-elle-on rendrait
1ʳᵉ p. plur. -ions	Nous parlerions	Nous finirions	Nous rendrions
2ᵉᵐᵉ p. plur. -iez	Vous parleriez	Vous finiriez	Vous rendriez
3ᵉᵐᵉ p. plur. -aient	Ils-elles parleraient	Ils-elles finiraient	Ils-elles rendraient

Voici quelques verbes irréguliers à apprendre par cœur :

être ⟶ je serais   savoir ⟶ je saurais

vouloir ⟶ je voudrais   venir ⟶ je viendrais

devoir ⟶ je devrais   voir ⟶ je verrais

pouvoir ⟶ je pourrais   faire ⟶ je ferais

Le conditionnel de politesse *est utilisé pour demander poliment quelque chose à quelqu'un.*

---

3 Complète les phrases suivantes en conjuguant le verbe entre parenthèses au conditionnel.

1. .... réserver une chambre du 3 au 20 août. (vouloir, je)

2. .... possible avoir un lit supplémentaire ? (être)

3. .... une chambre avec vue sur la mer. (vouloir, nous)

4. Les clients .... quitter la chambre avant midi. (devoir)

5. .... le court de tennis pour cet après-midi ? (réserver, tu)

6. .... nous rejoindre dans le hall. (pouvoir, vous)

4 Reformule les phrases suivantes en utilisant le conditionnel de politesse.

. Je veux une chambre en pension complète.

....

. Est-il possible d'avoir une chambre avec balcon ?

....

. Je veux réserver une chambre double pour le week-end prochain.

....

. J'ai un problème, la climatisation ne fonctionne pas dans ma chambre.

....

. Vous devez demander au réceptionniste.

....

. Vous pouvez vous adresser à la réception.

....

. Je veux la clé de la chambre n° 132.

....

. La salle des conférences est-elle libre ?

.... ?

Le Grand hôtel

5 Mots croisés avec définition

1. Cette formule comprend le petit déj' et le dîner.
2. On s'en sert pour entrer dans sa chambre.
3. Il vous accueille à l'entrée de l'hôtel.
4. On l'utilise s'il ne fait pas assez frais ou assez chaud.
5. On l'ouvre si on a soif ou si l'on veut grignoter quelque chose quand on est dans sa chambre.
6. C'est une chambre pour deux personnes.
7. C'est l'endroit où l'on s'arrête en arrivant.

L'hôtel

43

6 Quels sont les conforts offerts par cet hôtel ? Observe la brochure ci-dessous et complète les phrases.

1. C'est un hôtel avec 36 ....

2. Dans toutes les chambres il y a le .... et la ....

3. On peut demander la .... ou la ....

4. La .... est ouverte 24 h sur 24.

5. À côté du hall il y a le .... et la ....

6. L'hôtel dispose d'une .... et d'un ....

7. Derrière l'hôtel il y a un ....

8. L'hôtel dispose aussi d'une grande ....

7 Anagrammes.

1. On y gare sa voiture.
   Au ....   KIANGPR
2. On l'utilise quand il fait chaud.
   La ....   ICMLTTIIONSAA
3. On la réserve quand on voyage seul.
   La ....   BRCAMEHALUTNI
4. On l'ouvre quand on est dans sa chambre et qu'on a soif.
   Le ....   IIARMBN
5. On l'occupe quand on doit travailler en groupe.
   La ....   EEEAOLLSSSNDGCR
6. Il faut s'y adresser une fois arrivés à l'hôtel.
   À la ....   EEIONRPTC

8 Retrouve dans la grille les mots de l'unité, avec les lettres restantes complète la phrase ci dessous.

```
C H A M B R E A V E C U N G R A N D L I T
E A L E T N A R U A T S E R E D E L L A S
N D B A R E S A L L E D E S C O N G R E S
I M I N I B A R S I N N E T E D T R U O C
C H A M B R E A U N L I T L P A T R O I L
S S H A L L C N O I T A S I T A M I L C E
I C H A M B R E A D E U X L I T S E N T D
P E N S I O N R E C E P T I O N N I S T E
P A R K I N G E U X N O I S N E P I M E D
```

Bonjour Monsieur, pouvez-vous me donner l_

c _ _   _ _ _ _   _ _ _ _ _   _ _ _ _   _ _ _ _ ?

Et toi, as-tu déjà logé dans un hôtel français ?
Raconte ton expérience.

L'hôtel

Le train et la gare

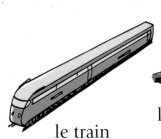
le train

la voie (ferrée)/ les rails

le quai

le contrôleur

le chef de gare

le tableau des départs et des arrivées

le chariot

la consigne

la salle d'attente

l'oblitérateur

le guichet

le billet

le wagon

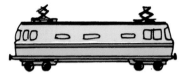
la locomotive

le wagon-lit

le wagon-restaurant

la place (assise)

la couchette

la fenêtre

le compartime

1   Observe le dessin et nomme les objets indiqués.

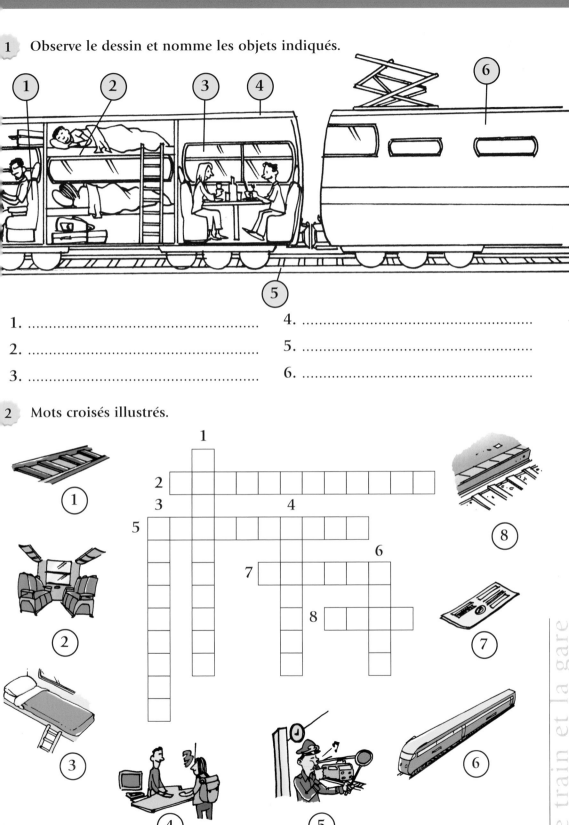

1. ....

2. ....

3. ....

4. ....

5. ....

6. ....

2   Mots croisés illustrés.

Le train et la gare

grammaire

Dominique **vient de réserver**
un billet pour demain matin.

*Le **passé récent** se construit avec l'expression*
venir de + infinitif. *Il indique une action*
qui s'est réalisée il y a très peu de temps.

3 Observe les dessins et complète les phrases suivantes en utilisant le passé récent.

1. Le .... (arriver)
   en gare.

2. Le .... (siffler).

3. Mme Dupont .... (déposer) sa valise à la ....

4. Mlle Sorel .... (arriver) au ....

5. Nous .... (réserver) nos ....
   pour Paris.

6. M et Mme Sassier .... (déjeuner) dans le ....

7. Frédéric .... (s'installer) à la ....
   qu'il a réservée.

8. Aline .... (s'allonger) dans la ....
   qu'elle a réservée.

9. M If .... (regarder) par la ....

10. Paul .... (prendre) un ....

48

4 **Complète les phrases suivantes.**

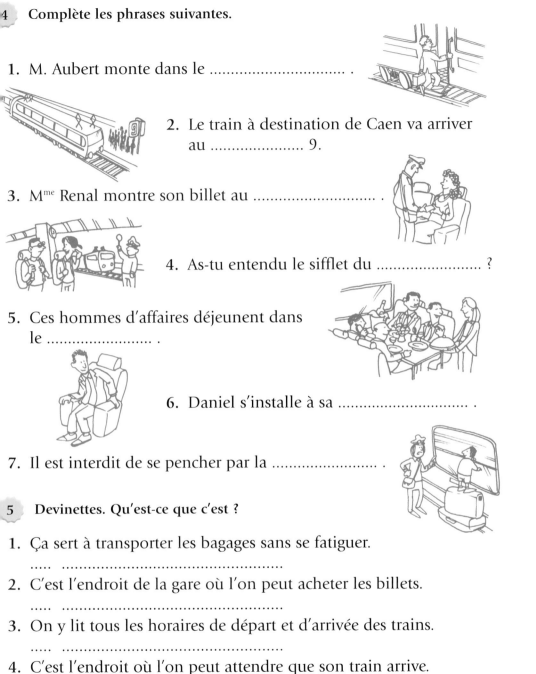

1. M. Aubert monte dans le ....

2. Le train à destination de Caen va arriver au .... 9.

3. Mme Renal montre son billet au ....

4. As-tu entendu le sifflet du .... ?

5. Ces hommes d'affaires déjeunent dans le ....

6. Daniel s'installe à sa ....

7. Il est interdit de se pencher par la ....

5 **Devinettes. Qu'est-ce que c'est ?**

1. Ça sert à transporter les bagages sans se fatiguer.
....

2. C'est l'endroit de la gare où l'on peut acheter les billets.
....

3. On y lit tous les horaires de départ et d'arrivée des trains.
....

4. C'est l'endroit où l'on peut attendre que son train arrive.
....

5. Ça sert à oblitérer le billet.
....

6. On la réserve si on voyage la nuit et si on veut voyager couché.
....

7. C'est l'endroit où l'on peut laisser les bagages.
....

6 À la gare. Observe le dessin et écris le nom des personnes, des objets et des endroits indiqués.

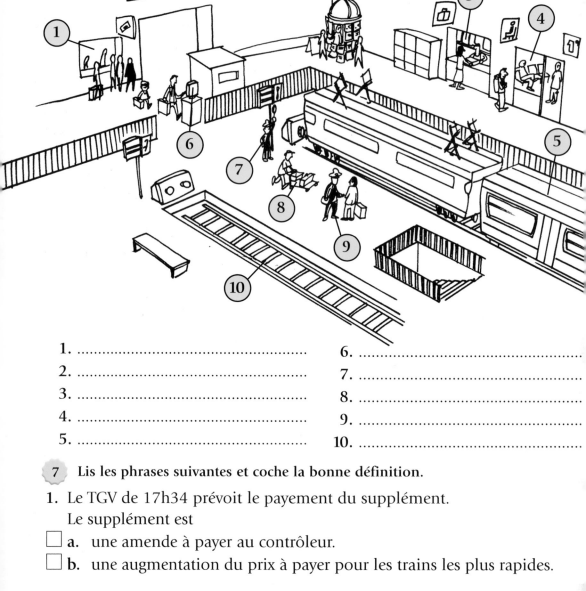

1. ....
2. ....
3. ....
4. ....
5. ....

6. ....
7. ....
8. ....
9. ....
10. ....

7 Lis les phrases suivantes et coche la bonne définition.

1. Le TGV de 17h34 prévoit le payement du supplément.
   Le supplément est
   ☐ **a.** une amende à payer au contrôleur.
   ☐ **b.** une augmentation du prix à payer pour les trains les plus rapides.

2. Vous voulez un billet de première ou de deuxième classe ?
   La classe est
   ☐ **a.** la catégorie dans laquelle on veut voyager.
   ☐ **b.** la file dans laquelle on veut voyager.

8 Mots croisés illustrés.

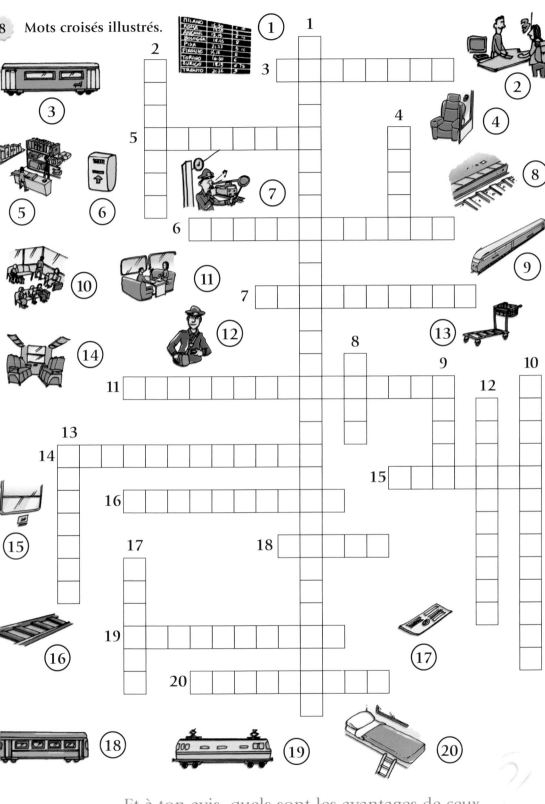

Et à ton avis, quels sont les avantages de ceux qui choisissent le train pour voyager ?

L'aéroport et l'avion

l'avion

la tour de contrôle

la piste (de décollage)

l'atterrissage

le décollage

l'enregistrement / le check-in

la carte d'embarquement

les papiers (d'identité)

les bagages

le détecteur de métaux

le terminal

le commandant de bord

l'hôtesse de l'air

le siège/le fauteuil

la ceinture

le hublot

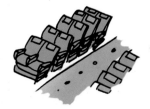

le couloir

l'aile

la sortie de secours

la consigne

1 Retrouve dans la grille huit mots de l'unité, avec les lettres restantes complète la phrase ci-dessous.

```
C O U L O I R C P I S T E A V I O N A
B H U B L O T I E R U T N I E C N E D
E T O U R D E C O N T R O L E P I L O
P A P I E R S T A G L A N I M R E T E
```

Le commandant de bord vous donne la bienvenue sur le vol ATR 204 de la _ _ _ _ _ _   _ _   _ _ _ _ _ _ _ _.

2 Observe le dessin et nomme les personnes, les objets et les endroits indiqués.

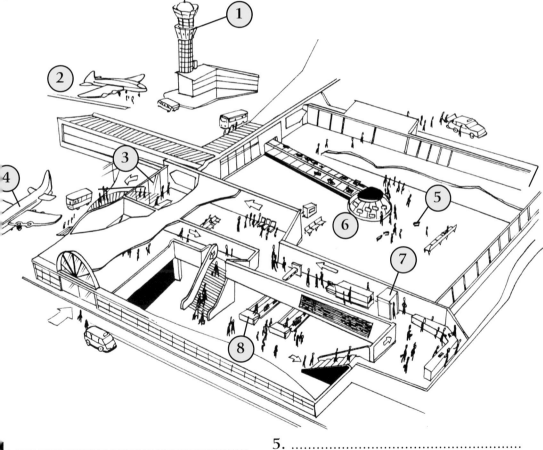

1. ....
2. ....
3. ....
4. ....

5. ....
6. ....
7. ....
8. ....

grammaire

> **1) Si** l'avion **part** à l'heure, **je serai** à Paris dans deux heures.
> **2) Si je pouvais aller** à Paris le week-end, **j'irais** en avion.
> **3) Si j'avais eu** un mois de congé, **je serais allée** en Egypte.
>
> *Voici la construction de la période hypothétique :*
>
> 1) *Hypothèse réalisable*
> 2) *Hypothèse non réalisable (ou difficilement)*
> 3) *Hypothèse non réalisée dans le passé*
>
> | *Prop. subordonnée* | *Prop. principale* |
> |---|---|
> | *1) Si + Présent indicatif* | *Futur indicatif* |
> | *2) Si + Imparfait* | *Conditionnel présent* |
> | *3) Si + Plus-que-parfait* | *Conditionnel passé* |

3 Complète les phrases suivantes en utilisant la période hypothétique.

1. Si tu .... (vouloir) aller à Honoloulou,
   tu .... (devoir) prendre l'avion.

2. Si l'hôtesse de l'air .... (être) plus
   attentive, elle .... (ne pas renverser)
   le café.

3. Si c'...................... (être) le moment du décollage,
   Paul .... (devoir) serrer ses ceintures.

4. Si j'...................... (emporter) de grosses
   valises, elles .... (charger) sur l'avion

5. Si le commandant de bord .... (ouvrir)
   le microphone, ... (souhaiter)
   le bon voyage aux passagers.

6. Si Jacques .... (ne pas appeler),
   Claire et moi, nous .... (monter)
   dans l'avion.

4 Monsieur Guy va partir en avion. Remets dans l'ordre les actions suivantes.

Monsieur Guy...

a. ☐ ... traverse le ....

b. ☐ ... va à l' ....

c. ☐ ... est prêt pour le ....

d. ☐ ... prend sa ....

e. ☐ ... attache sa ....

f. ☐ ... arrive au .... de son vol.

g. ☐ ... montre ses ....

5 Anagrammes. Qui est-ce ? / Qu'est-ce que c'est ? N'oublie pas d'ajouter l'article qui convient.

1. Elle s'occupe des passagers pendant le vol.

   C'est .... EEEAOISSTHDLR

2. C'est le pilote responsable de l'avion.

   C'est .... AAOOEMMNNDDDBTRC

3. L'endroit d'où on contrôle le trafic aérien.

   C'est .... OOOEELUDNCRRTT

4. C'est l'endroit où les passagers vont chercher leurs bagages.

   C'est .... IEOGSCNN

L'aéroport et l'avion

6 Observe les dessins et formule les expressions typiques des situations suivantes.

1. Vous avez des .... ?

2. Côté .... ou côté .... ?

3. Voici votre ...., Monsieur !

4. Vos ...., s'il vous plaît, Monsieur !

5. Mesdames et messieurs, vous êtes priés de garder vos .... jusqu'à l'atterrissage.

6. Le gilet est au-dessous du .... devant le vôtre.

7 Relie chaque mot à la définition correspondante.

1. la piste

2. l'atterrissage

3. le décollage

4. le détecteur de métaux

5. l'embarquement

6. la sortie de secours

7. le terminal

a. C'est là où convergent tous les passagers ayant une même destination.

b. C'est un système d'alarme qui indique la présence d'objets métalliques.

c. C'est une sortie de secours dans l'avion.

d. C'est la voie empruntée par l'avion au moment du décollage.

e. C'est l'enregistrement de chaque passager pour le vol qu'il a réservé.

f. C'est la phase de départ de l'avion jusqu'au moment où il atteint sa hauteur de vol.

g. C'est la phase d'arrivée de l'avion pendant laquelle il se prépare à rouler sur la piste.

8 Mots croisés illustrés.

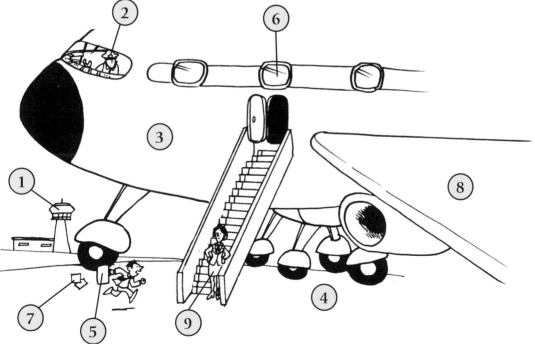

Et toi, as-tu déjà voyagé en avion ?
Si oui, est-ce que ça t'a plu ?
Dans le cas contraire, aimerais-tu voyager en avion ?

L'aéroport et l'avion

La musique

 le concert

 l'orchestre

 le directeur d'orchestre

 le chanteur

 la fanfare

 le groupe rock

 la note (de musique)

 la partition

 le clavier

 l'accordéon

 le piano

 la batterie

 le violon

 le violoncelle

 la contrebasse

 la guitare

 la flûte

 le saxophone

 la trompette

 le CD

1 Mots croisés illustrés. Les lettres des cases grises, lues dans l'ordre, te donnent le nom d'une très célèbre chanteuse française de l'après-guerre.

$$\overline{}_{3}\ \overline{}_{2}\ \overline{}_{6}\ \overline{}_{8}\ \overline{}_{5}\qquad \overline{}_{7}\ \overline{}_{6}\ \overline{}_{1}\ \overline{}_{4}$$

2 Retrouve dans la grille dix mots de l'unité, avec les lettres restantes complète la phrase ci-dessous.

O	V	I	O	L	O	N	C	E	L	L	E	N
N	I	O	S	A	X	O	P	H	O	N	E	T
C	O	N	T	R	E	B	A	S	S	E	E	S
F	L	U	T	E	L	G	U	I	T	A	R	E
A	O	P	T	R	O	M	P	E	T	T	E	O
O	N	A	I	P	B	A	T	T	E	R	I	E
R	T	E	A	C	C	O	R	D	E	O	N	E

_ _ écrit les _ _ _ _ _ sur _ _ _ _ _ _ _ _ .

grammaire

En **lisant** le journal, Pascal a trouvé une annonce intéressante.

*Le **gérondif** se construit avec en + **participe présent**.*
Cette construction est possible à condition que :
le sujet de la proposition principale et celui de la dépendante soit le même,
les deux actions soient simultanées,
le gérondif soit au temps simple.
*Si une de ces conditions ne se réalise pas il faut utiliser le **participe présent** seul.*

3 Complète les phrases suivantes en conjuguant le verbe entre parenthèses au gérondif ou au participe présent selon les cas.

1. .... (aller) au cours de _ _ _ _ _ _ _ _ _ _ _, Martine a rencontré sa copine Julie.

4. M. et Mme Dulac passent leur temps li................................... (jouer) de la _ _ _ _ _ dans la fanfare de leur vill

2. .... (jouer) de la _ _ _ _ _ _ _ _ dans un groupe rock, il fait des économies pour terminer ses études.

5. Ils gagnent leur vie .... (jouer) du _ _ _ _ _ _ dans les stations du métro.

3. .... (lire) la _ _ _ _ _ _ _ _ _, Pauline a compris qu'il s'agissait du *Boléro* de Ravel.

6. .... (jouer) du _ _ _ _ _ _ _ _ _ plusieurs heures par jour, il a souvent besoin de se dégourd les jambes.

4 Observe l'orchestre et identifie chacun des éléments et des instruments numérotés.

1. ....

2. ....

3. ....

4. ....

5. ....

6. ....

5 Complète les phrases suivantes à l'aide des dessins ci-dessous.

1. Ce soir nous allons à un  ....

2. Hier c'était la fête paysanne et la  .... a joué dans les rues.

3. J'ai acheté le dernier  .... de Garou.

4. Riccardo Muti est un 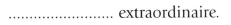 .... extraordinaire.

5. Viens avec moi demain soir : mon  .... préféré donne un concert.

6. Au collège j'ai appris à jouer de la  ....

6 Reconnais-tu de quel genre de musique il s'agit ?

musique de variétés – musique lyrique – musique rock
musique classique – musique jazz – musique blues – musique rap/hip hop
musique sacrée – musique pop

1. *Le Printemps* de Vivaldi

....

2. Le *Rigoletto* de Verdi

....

3. *Ave Maria* de Schubert

....

4. *The wall* des Pink Floyd

....

5. *Thriller* de Michael Jackson

....

6. *Cornet Chop Suey* de Louis Armstrong

....

7. *Mr Blues* de B. B. King

....

8. *8 mile* de Eminen

....

9. *Hôtel Normandy* de Céline Dion

....

7 Relie chaque genre aux instruments qui le caractérisent davantage.

1. musique classique   **a.** trombe, saxophone, contrebasse

2. musique de variétés   **b.** guitare électrique, basse, batterie

3. musique blues   **c.** clavier, batterie, guitare

4. musique rock   **d.** batterie, saxophone, guitare

5. musique jazz   **e.** violon, piano, flûte

8 Mots croisés illustrés.

Et toi, tu écoutes volontiers de la musique ? Quel genre ?
Est-ce que tu joues d'un instrument ? Lequel ?

Cinéma et théâtre

le guichet

le billet (d'entrée)

la place /le fauteuil

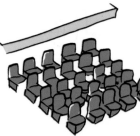
le parterre

la galerie

l'écran

le metteur en scène

la pellicule

l'affiche

la loge

la scène

le rideau

l'acteur

l'actrice

1 Mots croisés illustrés. Denise adore sortir. Découvre où elle va ce soir.

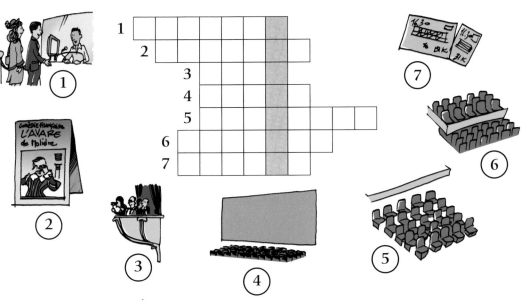

Ce soir Élise va au _ _ _ _ _ _ _ du Gros Caillou.

2 Et Laurent ? Où va-t-il ? Tu le découvriras après avoir complété la grille et lu les cases grises.

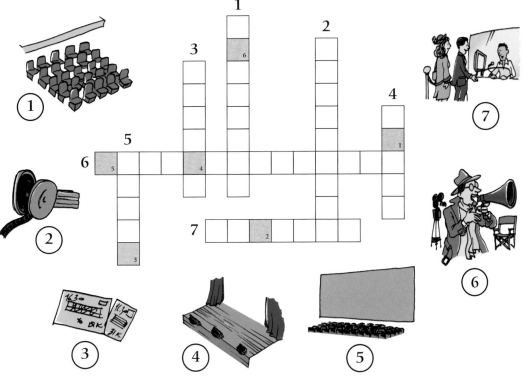

Laurent va au _ _ _ _ _ _ .
　　　　　　　　1 2 3 4 5 6

grammaire

> Il **aime** beaucoup aller au cinéma. / Il **n'**aime **pas du tout** aller au cinéma.
> Il **adore** le cinéma français. / Il **n'**aime **point** le cinéma français.
> Isabelle Adjani lui **plaît** beaucoup. / Isabelle Adjani **ne** lui plaît **pas beaucoup**.
>
> *Pour exprimer ses goûts on utilise les verbes* aimer, adorer, plaire, convenir.
> *En les utilisant à la forme négative et/ou accompagnés des adverbes* beaucoup, un peu *et* pas du tout, point *on exprime l'appréciation aux différents degrés.*
>
> | | |
> |---|---|
> | beaucoup | + + |
> | un peu | + |
> | ne… pas | – |
> | ne… pas du tout | – – |
> | ne… point | – – |

3 Complète les phrases suivantes en utilisant les verbes « plaire », « aimer », « adorer », « convenir » à la forme affirmative ou négative et accompagnés des adverbes correspondant aux differents degrés d'appréciation.

1. ++ : Le spectacle me ....

2. – – : Ces acteurs ne lui ....

3. – – : Les fauteuils du cinéma ne me
.... :
ils ne sont point confortables !

4. ++ : Le public français .... cette actr

5. – : Je .... ce nouveau metteur
en scène.

4 Complète les phrases suivantes à l'aide des dessins.

1. Jean est assis
....

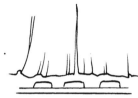

3. Le ....
va se lever.

2. Nadine et Jacques
ont deux places
....

4. Dans ce cinéma
l' ....
n'est pas très grand.

5 Qu'est-ce que c'est ?

1. On y vend les billets d'entrée.

....

2. C'est l'endroit où les acteurs jouent
la comédie au théâtre.

....

3. C'est le programme de la saison
théâtrale.

....

4. C'est un ruban sur lequel on enregistre
des séquences.

....

5. C'est la surface sur laquelle on projette
les images cinématographiques.

....

6. C'est un endroit du théâtre destiné à
accueillir un petit groupe de spectateurs.

....

Cinéma et théâtre

6 Retrouve dans la grille les mots pour compléter le texte ci-dessous.
Les lettres restantes te donneront le dernier mot.

L	P	A	R	T	E	R	R	E
P	E	L	L	I	C	U	L	E
E	B	I	L	L	E	T	F	I
L	A	F	F	I	C	H	E	M

Robert a un rendez-vous avec son copain André pour aller ensemble au cinéma. Devant le cinéma ils ont regardé l'..................................., ils se sont rendus compte que la .... ne dure qu'une heure cinquante. Ils ont acheté le .... et maintenant ils sont assis dans le .... et attendent de voir _ _   _ _ _ _.

7 Observe les dessins et écris les mots indiqués.

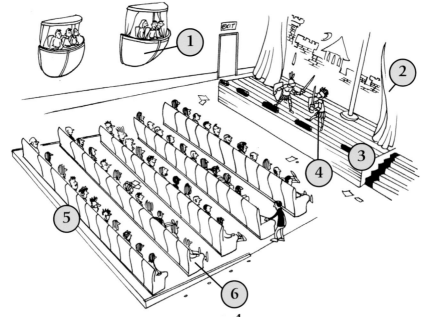

1. ....
4. ....

2. ....
5. ....

3. ....
6. ....

68

8 Mots croisés illustrés.

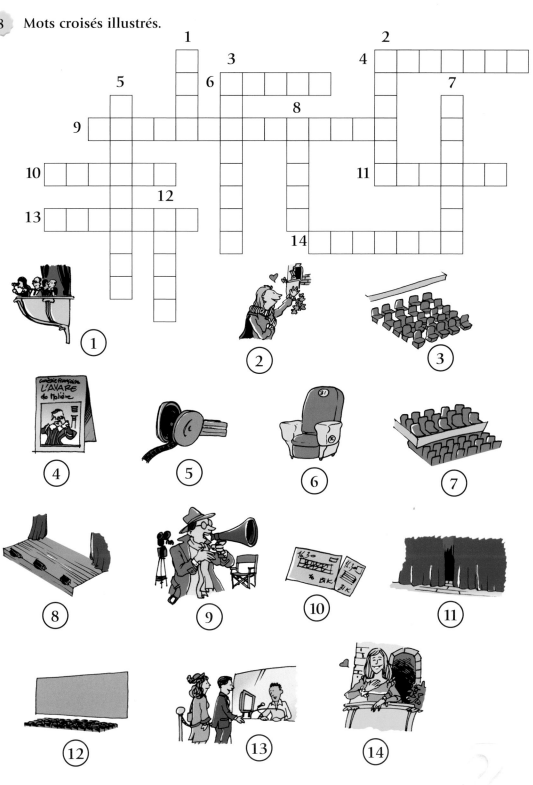

Et toi, tu vas souvent au cinéma ou au théâtre ?
À quels spectacles aimerais-tu assister ?

La télévision

la télévision

le lecteur de DVD

la télécommande

le magnétoscope

la vidéocassette

le programme de télévision

l'antenne

le journal télévisé

les variétés

le jeu

le feuilleton

le documentaire

les dessins animés

la publicité

la météo

l'émission sportive

1 Mots croisés illustrés.

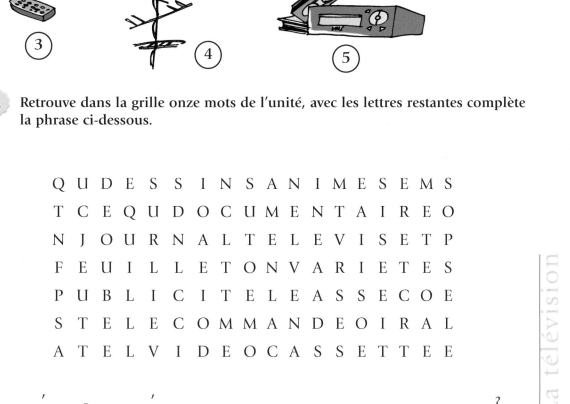

2 Retrouve dans la grille onze mots de l'unité, avec les lettres restantes complète la phrase ci-dessous.

```
Q U D E S S I N S A N I M E S E M S
T C E Q U D O C U M E N T A I R E O
N J O U R N A L T E L E V I S E T P
F E U I L L E T O N V A R I E T E S
P U B L I C I T E L E A S S E C O E
S T E L E C O M M A N D E O I R A L
A T E L V I D E O C A S S E T T E E
```

_ _ _ _ _ _ ' _ _ - _ _   _ _ _ _ '   _ _ _ _ _   _ _   _ _ _ _   _ _ _   _ _ _ _ ?

grammaire

> **Sujet**   **COD**
>
> Jean a enregistré cette vidéocassette.
>
> Cette vidéocassette a été enregistrée par Jean.
>
> **Sujet**   **Complément d'agent**
>
> *L'auxiliaire des verbes à la forme passive est être. Le COD de la phrase active devient le sujet de la phrase passive tandis que le sujet de la phrase active devient le complément d'agent.*

3 Observe les dessins et complète les phrases suivantes en conjuguant les verbes entre parenthèses à la forme passive.

1. Ce .... (acheter) par beaucoup de personnes.

2. La [TV] .... toujours .... (présenter) à 19h50.

3. Le [lecteur] .... (dépasser) par le lecteur de DVD.

4. Notre vieille [TV] .... (transporter) dans notre chalet.

5. Cette [TV] .... très bien .... (concevoir

6. Ces [cassettes] .... (enregistrer) par Pierre.

4 Relie chaque émission au sujet traité.

1. [ ] le journal télévisé

2. [ ] les variétés

3. [ ] le jeu

4. [ ] le feuilleton

5. [ ] le documentaire

6. [ ] les dessins animés

7. [ ] la météo

8. [ ] l'émission sportive

a. Hit machine

b. Les Feux de l'Amour

c. TF 1 nuit

d. Millionnaire

e. Les Minikeumfs

f. Météo

g. Sport : Roland Garros

h. Le Monde des animaux

La télévision

73

5 Anagrammes. N'oublie pas d'utiliser aussi l'article.

1. On s'en sert pour changer d'émission, baisser le volume... sans se lever de son fauteuil.

   .... EEEAOMMDCTLN

2. On s'en sert pour revoir les films qu'on a enregistrés.

   .... OOEEAGMNPCST

3. On y retrouve toutes les émissions prévues pour la semaine.

   .... AOOEEEEIIMMLRRTGPSVND

4. On s'en sert pour capter les ondes électromagnétiques.

   .... NNNEEAT

6 Qu'est-ce qu'ils regardent ?

1. Sarah veut se renseigner sur ce qui s'est passé aujourd'hui.
   Elle regarde ....

2. M. et Mme Dupuis veulent passer une soirée de tout repos.
   Ils regardent ....

3. Charles est passionné de sport et veut connaître les résultats des matchs de foot.
   Il regarde ....

4. Françoise va partir à la montagne pour le week-end et veut savoir quel temps il va faire.
   Elle regarde ....

5. Les enfants de Simone regardent rarement la télé, mais à 17h ils regardent toujours ....

6. M. Le Petit aime tout ce qui concerne les animaux.
   Il regarde régulièrement ....

7. Jean-Luc ne va presque jamais au cinéma, ...,
   il les regarde à la télé.

8. Françoise aime bien vérifier sa culture générale, elle regarde volontiers
   ....

9. Stéphanie travaille pour une agence publicitaire et les nouvelles
   .... à la télé l'intéressent toujours beaucoup.

7 Mots croisés illustrés.

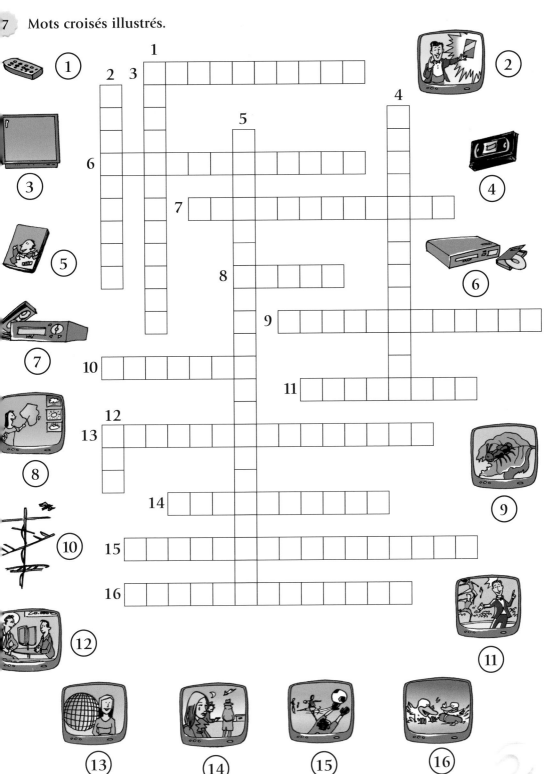

Quelle est ton émission préférée ?

Le sport II

le saut en hauteur

le saut en longueur

la course de haies

l'haltérophilie

le squash

le karaté

le football américain

la planche à voile

le ski de fond

le hockey (sur gazon/sur glace)

le base-ball

la plongée

le motocyclisme

le ping-pong

la boxe

le canotage

le bobsleig

1 Observe les dessins et écris les mots, avec les lettres des cases grises complète la phrase ci-dessous.

Ce sont trois spécialités de l'_ _ _ _ _ _ _ _ M _.
  1 2 3 4 5 2 6 7   5

2 Relie chaque sport au matériel dont on se sert pour le pratiquer.

1. boxe
2. le ping-pong
3. le motocyclisme
4. la planche à voile
5. le canotage
6. le football américain
7. le ski de fond

a. le canoë
b. les skis
c. la planche à voile
d. le ballon
e. la moto
f. les gants
g. la raquette et la balle

grammaire

On joue au tennis tous les samedis.
À la piscine **on** nage et on fait de la plongée.

Le pronom personnel on *est un sujet indéfini. Il est suivi du verbe à la troisième personne du singulier.*
Les adjectifs qui se réfèrent au pronom on *s'accordent au masculin singulier.*

Quand **on** arrive premier **on** est **content** !

Dans la langue parlée on l'utilise souvent à la place de nous.

Le jeudi **on** déjeune à la cantine.

3 **Relie les deux parties de chaque phrase.**

1. Avant une rencontre de karaté…   **a.** on s'amuse quand il y a du vent.

2. Au squash…   **b.** on s'entraîne beaucoup.

3. Dans les rencontres de boxe…   **c.** on joue sur glace ou bien sur gazo

4. Au hockey…   **d.** on gagne avec 21 points.

5. Pour se préparer à un match…   **e.** on se salue.

6. Dans le football américain…   **f.** on joue à deux.

7. En faisant de la planche à voile …   **g.** on joue en équipe.

8. Au ping-pong   **h.** on se bat sur un ring.

4 Retrouve dans la grille quatre mots de l'unité, avec les lettres restantes complète la phrase ci-dessous.

```
F O O T B A L L A M E R I C A I N
S P O C A N O T A G E R T D E Q U
B A S E B A L L I H O C K E Y P E
```

Ce sont des _ _ _ _ _S _'_ _ _ _ _ _ _ .

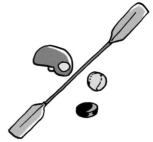

5 Mots croisés illustrés. Dans les cases grises tu trouveras le mot pour compléter la phrase ci-dessous.

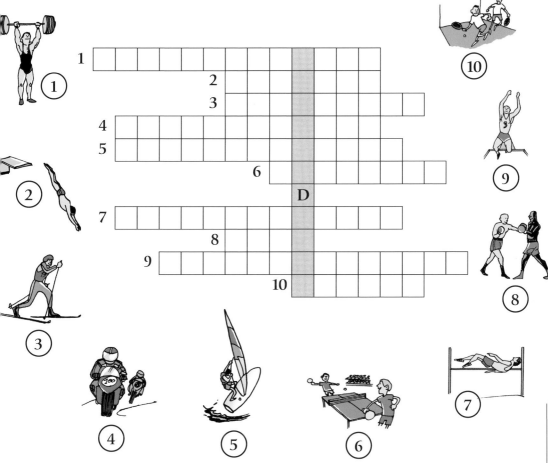

Il s'agit de sports normalement _ _ _ _ _ _ d _ _ _ _ .

6 Où est-ce que tu les pratiques ? Complète la grille ci-dessous en y insérant les sports suivants.

la planche à voile – le ski de fond – le saut en hauteur – l'haltérophilie – la plongé
le bobsleigh – le saut en longueur – le squash – le canotage – la course de haies
le karaté – le football américain – le ping-pong – le hockey – le base-ball – la box

dans/sur l'eau	sur la neige	au stade	dans un endroit fermé (gymnase, etc.)

7 Et maintenant c'est à toi d'apprendre le nom des disciplines de l'athlétisme. Mais d'abord écris le nom des sports ci-dessous.

☐☐☐☐ ☐☐ ☐☐☐☐ ☐☐ ☐☐☐☐☐☐ ☐
☐☐☐☐☐☐ ☐☐☐☐☐☐☐☐ ☐☐☐☐☐

la course de relais les cent mètres les trois mille mètres steeple la marche

le saut à la perche le triple saut le lancement du disque

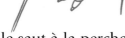

le lancement du javelot le lancement du poids le lancement du martea

8 Mots croisés illustrés.

Quels sont les sports les plus connus
et les plus pratiqués dans ton pays ?

La vie quotidienne

payer

téléphoner

saluer

chercher

trouver

descendre

monter

sortir

entrer

éteindre

allumer

nettoyer
(balayer)

laver

se maquiller

attendre

signer

envoyer/poster

prendre

1 Relie chaque verbe au dessin correspondant.

1. ☐ payer

2. ☐ téléphoner

3. ☐ descendre

4. ☐ monter

5. ☐ allumer

6. ☐ nettoyer

7. ☐ signer

8. ☐ envoyer

9. ☐ attendre

a. un message de poste électronique

b. l'autobus

c. l'escalier

d. à un ami

e. une lettre

f. la facture (du gaz/ de l'électricité)

g. au troisième étage

h. par terre

i. le lustre

2 Mots croisés illustrés. Dans les cases grises tu trouveras un verbe de « mouvement ».

$\overline{}_1 \ \overline{}_2 \quad \overline{}_3 \ \overline{}_4 \ \overline{}_5 \ \overline{}_6 \ \overline{}_7 \ \overline{}_8 \ \overline{}_9 \ \overline{}_{10}$

La vie quotidienne

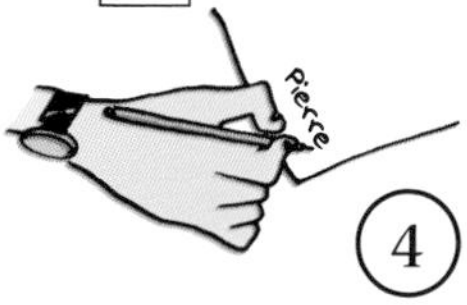

grammaire

Jean **est rentré** à la maison.

Le passé composé indique une action du passé qui n'a plus d'effets sur le présent.

On peut trouver le passé composé et l'imparfait dans une même phrase pour indiquer une action qui était en train de se dérouler **(imparfait)**, *mais qui a été interrompue à la suite de quelque chose qui s'est passé* **(passé composé).**

Il **dormait** tranquillement, quand le téléphone **a sonné**.

3 Observe les dessins et complète les phrases suivantes en conjuguant les verbes au passé composé ou à l'imparfait.

1. Elle est allée à la poste et elle m' .... la lettre.

2. .... dans le bus, quand je t'ai appelé.

3. Il est rentré à la maison et il .... le lustre.

4. Je suis tombé tandis que je .... l'escalier en courant.

5. Tandis que j' .... Jean à la sortie de l'école, le bus est passé deux fois.

6. Je .... ma voiture quand il a commencé à pleuvoir.

4 Associe chaque verbe à son contraire.

allumer – trouver – monter – entrer

1. chercher ....   3. sortir ....

2. descendre ....   4. éteindre ....

5 Souligne la forme correcte.

1. Luc *est rentré/ rentrait* chez lui et il *a allumé/allumait* le lampadaire.

2. Stéphanie *a descendu/descendait* l'escalier tandis que *je suis monté/je montais*.

3. Tandis que *j'attendais/j'ai attendu*, je *téléphonais/j'ai téléphoné* à Lucille.

4. Il *a cherché/cherchait* les clés partout et enfin il les *a trouvées/trouvait*.

5. Ma femme *s'est maquillée/se maquillait* quand *j'ai éteint/j'éteignais* la lumière.

6. Il *m'a dit au revoir/me disait bonjour* quand *il est sorti/il sortait*.

6 Retrouve dans la grille onze verbes de l'unité, avec les lettres restantes tu trouveras un synonyme de « chercher ».

```
F D E S C E N D R E O
P A Y E R U R E V A L
S E M A Q U I L L E R
O E T E I N D R E I E
R L L R E Y O T T E N
T E L E P H O N E R G
I E C H E R C H E R I
R A T T E N D R E R S
```

_ _ _ _ _ _ _

7 Conjugue les verbes suivants au passé composé ou à l'imparfait.

D'habitude Corinne va au travail en voiture. Hier, comme sa voiture .... (être) chez le garagiste, elle .... (vouloir) aller au bureau en bus. Pas de chance, tous les transports en commun .... (faire) grève ! Pas de bus, pas de métro, rien du tout !

À ce moment-là, elle .... (penser) prendre un taxi. Elle .... (appeler) un taxi, elle .... (attendre) plus d'une demi-heure : rien. Elle .... (ne plus savoir) quoi faire ; elle .... (devoir) aller travailler… Finalement, elle .... (décider) d'y aller à pied.

Elle .... (arriver) avec plus d'une demi-heure de retard mais, pour une fois, son patron .... (être) compréhensif et .... (ne pas se plaindre) !

8 Guarda i disegni e fai il cruciverba.

Quelle est l'action que tu répètes le plus souvent dans la journée ?

Solutions

Le corps humain II   page 4

1 1. le front, 2. les sourcils, 3. les cils, 4. les lèvres, 5. le menton, 6. la joue

2 1. nombril, 2. langue, 3. barbe, 4. cuisse, 5. mollet, 6. aisselle

3 1. lèvres, 2. cils, 3. joues, 4. mollets, 5. cheville

4 1.-, 2. -es, 3. -s, 4.-, 5.-, 6.-, 7. -s, 8.-, 9.-, 10. -e

5 1. la cheville, 2. le menton, 3 le front, 4. la joue, 5. la moustache, 6. la barbe, 7. le poignet, 8. la cuisse, 9. le mollet, 10. le coude

6 1. e, 2. f, 3. a, 4. b, 5. g, 6. h, 7. c, 8. d

7 main

8 Horizontalement : (de gauche à droite) lèvres, mollet, moustache, joue, cils, langue, aisselle ; **(de droite à gauche)** coude. **Verticalement : (du haut en bas)** barbe, front, sourcils, poitrine, menton, nombril, cuisse, cheville ; **(du bas en haut)** poignet. (*... D)iverses parties du corps.*

Le service secours   page 10

1 1. d, 2. a, 3. e, 4. b, 5. f, 6. g, 7. h, 8. c

2 1. sparadrap, 2. sirop, 3. comprimé, 4. blessure, 5. bande, 6. plâtre, 7. sang, 8. médicaments

3 1. jamais, toux ; 2. jamais, hôpital ; 3. plus, pharmacie ; 4. souvent, rhume ; 5. plus, sang ; 6. mal au ventre, souvent ; 7. parfois, brûlures ; 8. jamais, médicaments

4 1. Non, elle n'a jamais mal à la tête. 2. Non, il n'arrive jamais à l'heure. 3. Non, je n'ai acheté que du sirop. 4. Non, elle n'a plus de température. 5. Si, j'ai parfois donné du sang. 6. Non, je prends rarement du sirop. 7. Non, je n'ai jamais eu de brûlures sur les épaules.

5 Horizontalement : (de gauche à droite) fièvre, mal de gorge, brûlure, mal de dents, **(de droite à gauche)** mal de tête, toux, mal de ventre. **Verticalement :** rhume. (*…en) pleine forme.*

6 1. mal de dents, 2 sparadrap, 3. ambulance, 4. infirmière, 5. médecin, 6. sang

7 1. la température, 2. l'ambulance, 3. la blessure, 4. le sparadrap, 5. du sang, 6. les médicaments

8 1. blessure, 2. sang, 3. plâtre, 4. bande, 5. médecin, 6. comprimé, 7. seringue, 8. ambulance, 9. sirop, 10. fièvre, 11. infirmière, 12. mal de gorge, 13. mal de ventre, 14. pharmacie, 15. médicaments, 16. thermomètre, 17. toux, 18. hôpital, 19. mal de dents, 20. brûlure, 21. rhume, 22. mal de tête, 23. sparadrap

La mesure et la quantité   page 16

1 1. hectogramme, 2. kilo, 3. mètre, 4. kilomètre

2 1. a, 2. d, 3. e, 4. b, 5. c

3 1. une longueur, b ; 2. haute, a ; 3. haute, c ; 4. une largeur, a ; 5. long, b

4 1. Il y a moins de tubes de mayonnaise que de pots de confiture. 2. Il y a plus de bouteilles d'eau que de bouteilles de vin. 3. Il y a plus de tablettes de chocolat que de sachets de thé. 4. Il y a autant de paquets de biscuits que de paquets de sucre.

5 1. 25 cm, 2. 200 g, 3. 400 m, 4. 700 g, 5. 5 hg

6 1. tube, 2. centimètre, 3. canette, 4. pot, 5. tranche, 6. sachet, 7. boîte, 8. litre, 9. tablette. *(… d'aliments) en conserve.*

7 1. une canette, 2. un pot, 3. un sachet, 4. un pot, 5. un sachet, 6. une tablette, 7. un mètre, 8. un pot

8 1. la bouteille, 2. la boîte, 3. le sachet, 4. le paquet, 5. le pot

9 1. kilomètres, d ; 2. mètres, e ; 3. grammes, c ; 4. centimètres, a ; 5. kilos, b

10 Horizontalement : (de gauche à droite) tablette, sachet, gramme, centimètre, hectogramme, kilomètre, litre, kilo ; **(de droite à gauche)** paquet, boîte, canette. **Verticalement : (du haut en bas)** tranche, mètre, pot ; **(du bas en haut)** tube, bouteille. *(…) tablette (…)*

Plantes et fleurs
page 22

1 1. violette, 2. narcisse, 3. marguerite, 4. rose. *(… de P)erson(n)es.*

2 1. saule pleureur, 2. olivier, 3. bouleau, 4. pin parasol, 5. châtaigner, 6. chêne, 7. cyprès *(…de) plantes.*

3 1. lui, roses ; 2. leur, cyclamens ; 3. leur, muguet ; 4. m', violettes ; 5. lui, tournesol

4 1. C'est la fête des Mères. Je vais lui offrir un bouquet de marguerites. 2. Mon mari ne m'a jamais offert de fleurs. 3. Madame, je vous ai apporté des narcisses. 4. Nos amis nous ont apporté une plante de cyclamens. 5. Nous sommes allés à la campagne avec Sarah et Philippe et nous leur avons montré un champ de tournesol. 6. Frédéric a joué dans le jardin avec Anne et lui a offert un petit bouquet de marguerites. 7. Regarde ce chêne, il te semble très vieux ? 8. Je vais vous donner un pot de cyclamens pour votre terrasse.

5 1. le pin parasol, e ; 2. le cyprès, b ; 3. le châtaigner, d ; 4. le saule pleureur, c ; 5. le chêne, a

6 1. violette, 2. tournesol, 3. narcisse, 4. tulipes, 5. marguerite, 6. rose

7 1. tournesol, 2. rose, 3. châtaigner, 4. tulipe, 5. lys, 6. oliviers

8 Un pin parasol, un saule pleureur, un cyprès, des tulipes, des roses, des marguerites et des cyclamens.

9 Horizontalement ; (de gauche à droite) muguet, narcisse, orchidée, violette, saule pleureur, cyclamen, rose, jasmin, pin parasol, tournesol, châtaigner, olivier, chêne ; **(de droite à gauche)** lys, œillet, bouleau. **Verticalement ; (du haut en bas)** iris, marguerite, tulipe ; **(du bas en haut)** cyprès. *Mignonne, allons voir s(i la) rose…*

La voiture page 28

1 1. e, 2. d, 3. b, 4. f, 5. g, 6. c, 7. a

2 1. roue, 2. coffre, 3. portière, 4. plaque avant, 5. moteur, 6. volant, 7. pare-choc, 8. siège, 9. capot, 10. levier de vitesse, 11. phares, 12. clignotant

3 1.-, coffre,- ; 2.-, ceinture, -e ; 3.-, essuie glace,- ; 4.-, klaxon,- ; 5.-, roues, -es

4 Horizontalement : moteur, portière, siège, coffre, pédales, essuie glace, capot, ceinture, klaxon. **Verticalement** : roue. *(… l') accélérateur, (l')embrayage (et le) frein.*

5 1. le pare-brise, 2. le moteur, 3. la roue/le pneu, 4. le phare, 5. la plaque avant

6 1. a, 2. b, 3. a, 4. b, 5. a, 6. a

7 1. vitre, 2. roue, 3. coffre, 4. siège, 5. moteur

8 1. la roue, 2. les pédales, 3. l'essuie glace, 4. le clignotant

9 1. rétroviseur, 2. ceinture, 3. roue, 4. klaxon, 5. portière, 6. capot, 7. volant, 8. pédales, 9. plaque, 10. clignotant, 11. vitre, 12. levier de vitesse, 13. moteur, 14. pare-choc, 15. essuie glace, 16. garde-boue, 17. pare-brise, 18. phares, 19. coffre, 20. siège

La technologie page 34

1 Écouter de la musique : la radio, le lecteur de CD, le baladeur, l'autoradio, la chaîne stéréo ; **communiquer :** la télécopie, le portable, le téléphone ; **autre chose :** la caméra, la calculette

2 a. 2, b. 1, c. 4, d. 5, e. 3

3 1. utilisait, portable ; 2. tapais, ordinateur ; 3. envoyait, téléfax ; 4. utilisait, photocopieuse ; 5. écoutait, baladeur, lecteur de CD

4 1. autoradio, 2. baladeur, lecteur de CD, 3. ordinateur, 4. appareil photo

5 1. baladeur, 2. calculette, 3. lecteur de CD, 4. antenne parabolique, 5. répondeur téléphonique, 6. autoradio

6 1. e, 2. g, 3. f, 4. b, 5. c, 6. a, 7. d

7 1. filmais, 2. imprimait, 3. envoyions, 4. prenais, 5. acquéraient, 6. téléphonait, 7. photocopiiez

8 À la maison / au bureau : ordinateur, imprimante, scanneur, photocopieuse, téléfax, téléphone, calculette, répondeur téléphonique, chaîne stéréo, antenne parabolique ; **dans la voiture :** l'autoradio ; **partout :** caméra, appareil photo, logiciel portable, calculette, baladeur, lecteur de CD, portable, répondeur téléphonique

9 1. répondeur téléphonique, 2. appareil photo, 3. imprimante, 4. photocopieuse, 5. chaîne stéréo, 6. logiciel portable, 7. lecteur de CD, 8. scanneur, 9. téléfax, 10. calculette, 11. portable, 12. téléphone, 13. radio, 14. baladeur, 15. ordinateur, 16. autoradio, 17. antenne parabolique

L'hôtel

page 40

1 1. la salle des congrès, 2. la salle de restaurant, 3. la piscine, 4. la réception, 5. le hall, 6. le bar, 7. le parking, 8. le réceptionniste, 9. le court de tennis

2 1. à un lit, 2. à deux lits, 3. avec un grand lit

3 1. Je voudrais, 2. Serait-il, 3. Nous voudrions, 4. devraient, 5. Réserverais-tu, 6. Vous pourriez

4 1. Je voudrais une chambre en pension complète. 2. Serait-il possible d'avoir une chambre avec balcon ? 3. Je voudrais réserver une chambre double pour le week-end prochain. 4. J'aurais un problème, la climatisation ne fonctionne pas dans ma chambre. 5. Vous devriez demander au réceptionniste. 6. Vous pourriez vous adresser à la réception. 7. Je voudrais la clé de la chambre n° 132. 8. La salle des conférences serait-elle libre ?

5 1. demi-pension, 2. clé, 3. réceptionniste, 4. climatisation, 5. mini bar, 6. chambre à deux lits, 7. réception

6 1. chambres ; 2. mini bar, climatisation ; 3. pension complète, demi-pension ; 4. réception ; 5. bar, salle de restaurant ; 6. piscine, court de tennis ; 7. parking ; 8. salle de congrès

7 1. parking, 2. climatisation, 3. chambre à un lit, 4. mini bar, 5. salle des congrès, 6. réception

8 Horizontalement : (de gauche à droite) chambre avec un grand lit, bar, salle des congrès, mini bar, chambre à un lit, hall, chambre à deux lits, pension, réceptionniste, parking ; **(de droite à gauche)** salle de restaurant, court de tennis, climatisation, demi-pension. **Verticalement : (du haut** en bas) réception, clé ; **(du bas en haut)** piscine. *(…l)a (c)lé de la trois cent deux ?*

Le train et la gare

page 46

1 1. la place (assise), 2. la couchette, 3. le wagon restaurant, 4. le wagon, 5. la voie ferrée / les rails, 6. la locomotive

2 1. voie ferrée, 2. compartiment, 3. couchette, 4. guichet, 5. chef de gare, 6. train, 7. billet, 8. quai

3 1. train, vient d'arriver ; 2. contrôleur, vient de siffler ; 3. vient de déposer, consigne ; 4. vient d'arriver, guichet ; 5. venons de réserver, billets ; 6. viennent de déjeuner, wagon restaurant ; 7. vient de s'installer, place ; 8. vient de s'allonger, couchette ; 9. vient de regarder, fenêtre ; 10. vient de prendre, chariot

4 1. train, 2. quai, 3. contrôleur, 4. chef de gare, 5. wagon restaurant, 6. place, 7. fenêtre

5 1. le chariot, 2. le guichet, 3. le tableau des départs et des arrivées, 4. la salle d'attente, 5. l'oblitérateur, 6. la couchette, 7. la consigne

6 1. le guichet, 2. le tableau des départs et des arrivées, 3. la consigne, 4. la salle d'attente, 5. le train, 6. l'oblitérateur, 7. le chef de gare, 8. le chariot, 9. le contrôleur, 10. la voie ferrée

7 1. b, 2. a

8 1. tableau des départs et des arrivées,
2. guichet, 3. wagon-lit, 4. place,
5. consigne, 6.oblitérateur, 7. chef de gare,
8. quai, 9. train, 10. salle d'attente,
11. wagon-restaurant, 12. contrôleur,
13. chariot, 14. compartiment , 15. fenêtre,
16. voie ferrée, 17. billet, 18. wagon,
19. locomotive, 20. couchette

L'aéroport et l'avion page 52

1 **Horizontalement : (de gauche à droite)** couloir, piste, avion, hublot, tour de contrôle, papiers ; **(de droite à gauche)** ceinture, terminal. *(... de la) cabine de pilotage.*

2 1. la tour de contrôle, 2. la piste,
3. le terminal, 4. l'avion, 5. les bagages,
6. la consigne, 7. le détecteur de métaux,
8. l'enregistrement

3 1. veux, devras ; 2. avait été, n'aurait pas renversé ; 3. était, devrait ;
4. avais emporté, auraient été chargées ;
5. ouvrait, souhaiterait ; 6 ne nous avait pas appelés, nous serions montés

4 a. 4 détecteur de métaux, b. 1 enregistrement, c. 7 décollage, d. 2 sa carte d'embarquement, e. 6 ceinture, f. 5 terminal, g. 3 ses papiers

5 1. l'hôtesse de l'air, 2. le commandant de bord, 3. la tour de contrôle, 4. la consigne

6 1. bagages, 2. couloir- hublot, 3.carte d'embarquement, 4. papiers, 5. ceintures,
6. siège

7 1. d, 2. g, 3. f, 4. b, 5. e, 6. c, 7. a

8 1. tour de contrôle, 2. commandant de bord, 3. avion, 4. piste, 5. bagages,

6. hublot, 7. carte d'embarquement,
8. aile, 9. hôtesse de l'air

La musique page 58

1 1. accordéon, 2. partition,
3. saxophone, 4. flûte, 5. violon,
6. piano. *Édith Piaf*

2 **Horizontalement : (de gauche à droite)** violoncelle, saxophone, contrebasse, flûte, guitare, trompette, batterie, accordéon ; **(de droite à gauche)** piano. **Verticalement :** violon. *On (écrit les) notes (sur) la portée.*

3 1. en allant, violoncelle ; 2. en jouant, batterie ; 3. en lisant, partition ;
4. en jouant, flûte ; 5. en jouant, violon ;
6. jouant, violoncelle

4 1. le violon, 2. la trompette,
3. le violoncelle, 4. le directeur d'orchestre, 5. la partition, 6. la flûte

5 1. concert, 2. fanfare, 3. CD,
4. directeur d'orchestre, 5. groupe rock,
6. flûte

6 1. musique classique, 2. musique lyrique, 3. musique sacrée, 4. musique rock, 5.musique pop, 6. musique jazz,
7. musique blues, 8. musique rap/hip hop, 9. musique de variétés

7 1. e, 2. c, 3. d, 4. b, 5. a

8 1. orchestre, 2. accordéon,
3. saxophone, 4. chanteur, 5. trompette,
6. groupe rock, 7. directeur d'orchestre,
8. contrebasse, 9. violoncelle, 10. violon,
11. concert, 12. piano, 13. batterie,
14. flûte, 15. fanfare, 16. partition,
17. note, 18. cd, 19. clavier, 20. guitare

Cinéma et théâtre page 64

1 1. guichet, 2. affiche, 3. loge, 4. écran, 5. parterre, 6. galerie, 7. billet *(… au) théâtre (du Gros Caillou.)*

2 1. parterre, 2. pellicule, 3. billet, 4. scène, 5. écran, 6. metteur en scène, 7. guichet. *(… au) cinéma.*

3 Solutions possibles : 1. plaît beaucoup, 2. plaisent point, 3. conviennent pas du tout, 4. adore, 5. n'aime pas

4 1. dans le parterre, 2. dans la galerie, 3. rideau, 4. écran

5 1. au guichet, 2. la scène, 3. l'affiche, 4. la pellicule, 5. l'écran, 6. la loge

6 affiche, pellicule, billet, parterre. *Le film*

7 1. la loge, 2. le rideau, 3. la scène, 4. l'acteur, 5. le parterre, 6. la place

8 1. loge, 2. acteur, 3. parterre, 4. affiche, 5. pellicule, 6. place, 7. galerie, 8. scène, 9. metteur en scène, 10. billet, 11. rideau, 12. écran, 13. guichet, 14. actrice

La télévision page 70

1 1. vidéocassette, 2. télévision, 3. télécommande, 4. antenne, 5.magnétoscope, 6. lecteur de DVD

2 Horizontalement : dessins animés, documentaire, journal télévisé, feuilleton, variétés, publicité, télé, télécommande, vidéocassette.
Verticalement : jeu, météo. *Qu'est-ce qu'on passe ce soir à la télé ?*

3 1. programme de télévision, est acheté, 2. météo, est (toujours) présentée, 3. magnétoscope, a été dépassé, 4. télé, a été transportée, 5. publicité, est/ a été (très bien) conçue, 6. vidéocassettes ont été enregistrées

4 1. c, 2. a, 3. d, 4. b, 5. h, 6. e, 7. f, 8. g

5 1. la télécommande, 2. le magnétoscope, 3. le programme de télévision, 4. l'antenne

6 1. le journal télévisé, 2. les variétés, 3. l'émission sportive, 4. la météo, 5. les dessins animés, 6. les documentaires, 7. les films, 8 les jeux, 9. publicités

7 1. télécommande, 2. publicité, 3. télévision, 4. vidéocassette, 5. programme de télévision, 6. lecteur de DVD, 7. magnétoscope, 8. météo, 9. documentaire, 10. antenne, 11. variétés, 12. jeu, 13. journal télévisé, 14. feuilleton, 15. émission sportive, 16. dessins animés

Le sport II page 76

1 Saut en hauteur, saut en longueur, course de haies. *(… l') athlétis(m)e*

2 1. f, 2. g, 3. e, 4. c, 5. a, 6. d, 7. b

3 1. e, 2. f, 3. h, 4. c, 5. b, 6. g, 7. a, 8. d

4 football américain, canotage, base-ball, hockey .*(Ce sont des) sport(s) d'équipe*

5 1. haltérophilie, 2. plongée, 3. ski de fond, 4. motocyclisme, 5. planche à voile, 6. ping-pong, 7. saut en hauteur, 8. boxe, 9. saut en longueur, 10. squash. *(…) indivi(d)uels.*

6 dans/sur l'eau : planche à voile, plongée, canotage ; **sur la neige :** ski de fond, bobsleigh, hockey ; **au stade :** saut en hauteur, saut en longueur, course de haies, hockey, football américain, base-ball ; **dans un endroit fermé :** squash, l'haltérophilie, karaté, ping-pong, boxe

7 saut en hauteur, saut en longueur, course de haies

8 1. planche à voile, 2. plongée, 3. ski de fond, 4. boxe, 5. ping-pong, 6. squash, 7. canotage, 8. football américain, 9. motocyclisme, 10. saut en hauteur, 11. saut en longueur, 12. bobsleigh, 13. base-ball, 14. karaté, 15. hockey, 16. haltérophilie, 17. course de haies

La vie quotidienne   page 82

1 1. f, 2. d, 3. c, 4. g, 5. i, 6. h, 7. e, 8. a, 9. b

2 1. envoyer, 2. téléphoner, 3. prendre, 4. signer, 5. allumer, 6. se maquiller. *Se promener*

3 1. a envoyé, 2. Tu montais, 3. a allumé, 4. descendais, 5. attendais, 6. lavais

4 1. trouver, 2. monter, 3. entrer, 4. allumer

5 1. est rentré, a allumé ; 2. descendait, je montais ; 3. j'attendais, j'ai téléphoné ; 4. a cherché, a trouvées ; 5. se maquillait, j'ai éteint ; 6. m'a dit au revoir, il est sorti

6 Horizontalement : (de gauche à droite) descendre, payer, se maquiller, éteindre, téléphoner, chercher, attendre ; **(de droite à gauche)** laver, nettoyer. **Verticalement : (du haut en bas)** sortir, **(du bas en haut)** signer. *Fouiller.*

7 était, voulait, faisaient, a pensé, a appelé, a attendu, ne savait plus, devait, a décidé, est arrivée, a été, ne s'est pas plaint

8 1. téléphoner, 2. monter, 3. entrer, 4. trouver, 5. nettoyer, 6. allumer, 7. éteindre, 8. payer, 9. chercher, 10. attendre, 11. saluer, 12. laver, 13. sortir, 14. signer, 15. se maquiller, 16. descendre, 17. envoyer, 18. prendre

Sommaire